D1240940

LA TRILOGIE DES 33 HISTOIRES VRAIES
RACONTÉES PAR DES MÉDECINS

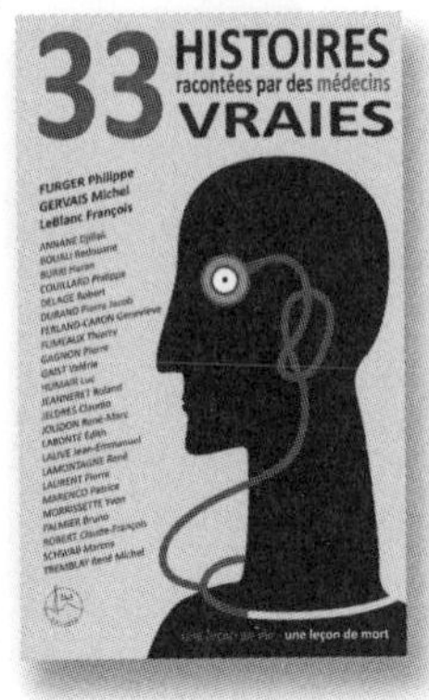

Tome I
(en vente, 2013)

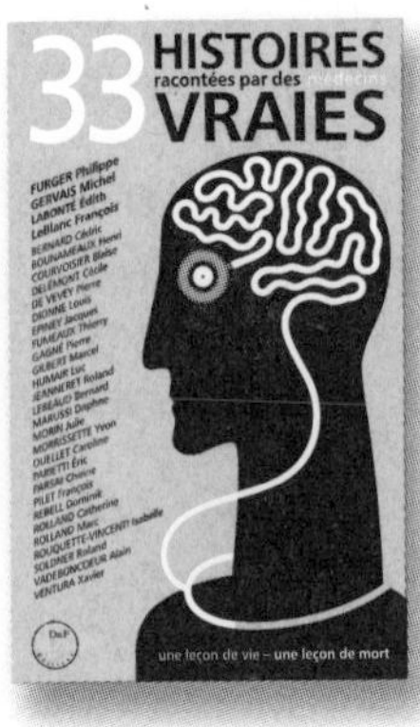

Tome II

Tome III

Distribution: SOMABEC Diffuseur & Distributeur, Québec

- Téléphone 1 - 800 - 361 - 8118 (sans frais)
- Télécopieur 1 - 450 - 774 - 3017
- Courriel ventes@somabec.com
- WEB www.somabec.com
- ISBN 978-3-905699-36-4

Éditeur: Éditions D&F, Québec

- Courriel info@investimed.ch
- WEB www.investimed.ch

ÉQUIPE DES 33 HISTOIRES

FURGER Philippe
GERVAIS Michel
LABONTÉ Édith
LeBlanc François

et:

BERNARD Cédric
BOUNAMEAUX Henri
COURVOISIER Blaise
DELÉMONT Cécile
DE VEVEY Pierre
DIONNE Louis
EPINEY Jacques
FUMEAUX Thierry
GAGNÉ Pierre
GILBERT Marcel
HUMAIR Luc
JEANNERET Roland
LEBEAU Bernard
MARUSSI Daphne
MORIN Julie
MORRISSETTE Yvon
OUELLET Caroline
PARIETTI Éric
PARSAI Chirine
PILET François
REBELL Dominik
ROLLAND Catherine
ROLLAND Marc
ROUQUETTE-VINCENTI Isabelle
SOLDNER Roland
VADEBONCOEUR Alain
VENTURA Xavier

Fondateurs du concept des 33 HISTOIRES VRAIES

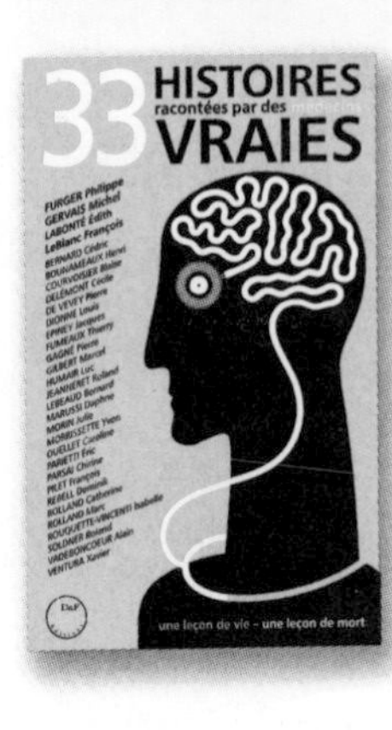

FURGER Philippe, MD, CME

- Spécialiste FMH en médecine interne
- Professeur invité, Université Laval, Québec/ Canada
- Chargé de cours, unité de médecine familiale, Université Berne/ Suisse
- Continuous Medical Educator, Harvard, Boston/USA
- Auteur/Éditeur médical

GERVAIS Michel, PhD

- Théologien, philosophe
- Président de l'Association québécoise d'établissements de santé et de services sociaux
- Ex-Recteur de l'Université Laval (1987-1997), Québec/Canada
- Ex-Directeur général de l'Institut universitaire en santé mentale de Québec et du Centre de recherche de cet Institut (2000-2008)

LeBlanc François, MD, Pr

- Médecin intensiviste et interniste, Centre hospitalier universitaire de Québec, Hôpital Enfant-Jésus, Québec/Canada
- Professeur agrégé au département de médecine de l'Université Laval, Québec/Canada
- Directeur du programme de résidence en soins intensifs de l'Université Laval (2005-2013), Québec/Canada

LABONTÉ Édith, MD, FRCPC, DFAPA, Pr agrégé

- Spécialiste en psychiatrie
- Professeur agrégé, Département de psychiatrie et neurosciences, Université Laval, Québec/ Canada
- Centre hospitalier universitaire de Québec, Hôpital Enfant-Jésus/Canada
- Co-auteure du livre «33 Histoires vraies, racontées par des médecins», tome I (2013)

AUTEURES et AUTEURS

BERNARD Cédric, MD
- Spécialiste en neurochirurgie, Hôpital d'Instruction des Armées Sainte-Anne, Toulon/France

BOUNAMEAUX Henri, MD, Pr
- Spécialiste FMH en médecine interne et angiologie
- Chef du service d'angiologie et d'hémostase et Directeur du département de médecine interne, Hôpitaux Universitaires de Genève/Suisse

COURVOISIER Blaise, MD
- Spécialiste FMH en Chirurgie générale, La Chaux-de-Fonds/Suisse
- Conseiller parlementaire, Berne

DELÉMONT Cécile, MD
- Spécialiste FMH en médecine interne
- Médecin adjoint Responsable d'unité, Unité d'urgences ambulatoires, Service de Médecine de Premier recours, Hôpitaux Universitaires de Genève/Suisse

DE VEVEY Pierre, MD
- Spécialiste FMH en médecine interne générale, Chavornay/Suisse

DIONNE Louis, MD, FRCS, O.C., M.Q., Pr émérite
- Professeur émérite de l'Université Laval, Québec/Canada
- Spécialiste en chirurgie oncologique, retraité

EPINEY Jacques, MD
- Spécialiste FMH en médecine interne générale
- Consultant en médecine interne au Centre de Psychiatrie Neuchâtelois/Suisse
- Ancien médecin chef, Hôpital La Béroche, St-Aubin/Suisse

FUMEAUX Thierry, MD, Pr
- Spécialiste FMH en médecine interne et médecine intensive
- Médecin chef de service de médecine/soins intensifs, GHOL - Hôpital de Nyon/Suisse
- Co-auteur du livre «33 Histoires vraies, racontées par des médecins», tome I (2013)

FURGER Philippe, MD, CME
- Spécialiste FMH en médecine interne
- Professeur invité, Université Laval, Québec/Canada
- Chargé de cours, unité de médecine familiale, Université Berne/Suisse
- Continuous Medical Educator, Harvard, Boston/USA

GAGNÉ Pierre, MD, Pr, FRCPC, DLFAPA
- Spécialiste en psychiatrie légale
- Fondateur - Psychiatrie légale; Collège Royal des Médecins et Chirurgiens du Canada
- Directeur Clinique médico-légale de l'Université de Sherbrooke/Canada

- Professeur agrégé, faculté de médecine, Université de Sherbrooke/Canada

GILBERT Marcel, MD, Pr

- Spécialiste en cardiologie
- Professeur associé, Institut Universitaire de Cardiologie et de Pneumologie, Québec/Canada

HUMAIR Luc, MD, Pr

- Spécialiste FMH en médecine interne et néphrologie
- Ancien médecin chef, Hôpital La Chaux-de-Fonds/Suisse
- Auteur du livre:
  - «Autobiographie, Luc HUMAIR» (2015)
- Co-auteur du livre «33 Histoires vraies, racontées par des médecins», tome I (2013)

JEANNERET Roland, MD

- Spécialiste en médecine interne générale, Vaumarcus/Suisse
- Co-auteur du livre «33 Histoires vraies, racontées par des médecins», tome I (2013)

LEBEAU Bernard, MD, Pr

- Spécialiste en pneumologie et oncologie, Paris/France
- Auteur des livres:
  - «Odyssée de l'espèce» (2001)
  - «L'euthanasieur» (2013)

  Éditeur: La Boîte à Pandore

LeBlanc François, MD, Pr

- Médecin intensiviste et interniste, Centre hospitalier universitaire de Québec, Hôpital Enfant-Jésus, Québec/Canada
- Professeur agrégé au département de médecine de l'Université Laval, Québec/Canada
- Directeur du programme de résidence en soins intensifs de l'Université Laval (2005-2013)

MARUSSI Daphne, MD, Pr agrégée

- Spécialiste en psychiatrie, Universidade de Campinas/Brésil
- Spécialiste en troubles alimentaires et troubles de l'humeur
- Professeure agrégée de l'Université de Sherbrooke/Canada

MORIN Julie, MD

- Pédiatre, CSSS Richelieu-Yamaska/Canada
- Professeur d'enseignement clinique, Université de Sherbrooke/Canada

MORRISSETTE Yvon, MD, FRCP

- Diplomé de l'American Board, Chicago 1969 (ORL et Chirurgie Cervico-Faciale)
- Chef de service, Hôpital St-François d'Assise, Québec/Canada
- Professeur de clinique, Université Laval, Québec/Canada
- Co-auteur du livre «33 Histoires vraies, racontées par des médecins», tome I (2013)

OUELLET Caroline, MD, FRCPC

- Spécialiste en anesthésie
- Professeur d'enseignement clinique, département d'anesthésiologie, service de soins intensifs
- Centre Hospitalier Universitaire de Montréal/Canada

PARIETTI Éric, MD

- Spécialiste en chirurgie thoracique et cardiovasculaire
- Ancien assistant-chef de clinique des hôpitaux de Lyon/France
- Ancien interne des Hôpitaux de Besançon/France

PARSAI Chirine, MD, PhD

- Spécialiste FMH en Cardiologie, spécialisée en imagerie cardiaque. Ollioules/France
- Spécialiste en IRM cardiaque, diplômée de Londres, Royal Brompton Hospital

PILET François, MD, CC

- Spécialiste FMH en médecine interne générale, Vouvry/Suisse
- Chargé de cours, Faculté de Biologie et Médecine de l'Université de Lausanne/Suisse
- Membre du collège de l'Institut Universitaire de Médecine Générale de Lausanne/Suisse
- Co-fondateur du Cursus Romand de Médecine de Famille /Suisse

REBELL Dominik, MD

- Médecin en formation de médecine interne, Centre hospitalier universitaire vaudois, Lausanne/Suisse

ROLLAND Catherine, MD

- Spécialiste en médecine générale et médecine d'urgence
- Médecin hospitalière, service des urgences, Neuchâtel/Suisse
- Auteure du roman:
  - «Ceux d'en haut» (2014). Éditeur: Éditions Les Passionnés de bouquins
- Ancien Médecin-Capitaine de Sapeurs-Pompiers Volontaire

ROLLAND Marc, MD

- Spécialiste en médecine générale, hypnothérapeute – EMDR, Lucens/Suisse et Saint Martin en Haut/France
- Ancien Médecin-Capitaine de Sapeurs-Pompiers Volontaire

ROUQUETTE-VINCENTI Isabelle, MD, Pr agrégé, ESCP

- Spécialiste en anesthésie réanimation
- Professeur agrégé du Service de Santé Option Anesthésie Réanimation
- Chef du service d'Anesthésie Réanimation du Groupe Hospitalier Paris Saint-Joseph, Paris/France
- Diplôme Inter-Universitaire de Médecine sub-aquatique et Hyperbare, Lyon/France

SOLDNER Roland, MD

- Diplômé de médecine d'urgence
- Médecin au SAMU, Hôpital Édouard HERRIOT, Lyon/France
- Diplômé de médecine hyperbare et médecine de plongée

- Diplôme Inter-Universitaire de Médecine sub-aquatique et Hyperbare, Lyon/France

VADEBONCOEUR Alain, MD, Pr agrégé

- Chef de l'urgence de l'Institut de cardiologie de Montréal
- Professeur agrégé de clinique, Faculté de médecine de l'Université de Montréal/Canada
- Co-auteur de la pièce de théâtre «Sacré-Coeur» (2008)
- Auteur de l'essai:
  - «Privé de soins» (2012)
  - «Les acteurs ne savent pas mourir» (2014)
- Animateur de l'émission:
  - «Les Docteurs», Télévision Radio Canada (2010-2013)
- Président des Médecins québécois pour le régime public (2012-2014)
- Professeur entre les mains duquel on remettrait notre vie. Association des étudiants et étudiantes en médecine de l'Université de Montréal/Canada (2010)
- Prix Rayonnement, département de médecine familiale et de médecine d'urgence, Faculté de Médecine, Université de Montréal (2009)
- Certificat de mérite en éducation médicale, Canadian Association for Medical Education (2005)
- Médecin de coeur et d'action, Association des médecins de langue française du Canada (2005)

VENTURA Xavier, MD

- Psychiatre-psychothérapeute FMH, Colombier/Suisse
- Ancien président du Groupement des psychiatres neuchâtelois
- Expert des tribunaux, Suisse
- Expert Societé Insurrance Suisse

Analyse psychologique des 33 HISTOIRES VRAIES

LABONTÉ Édith, MD, FRCPC, DFAPA, Pr agrégé

- Spécialiste en psychiatrie
- Professeur agrégé, Département de psychiatrie et neurosciences, Université Laval
- Centre hospitalier universitaire de Québec, Hôpital Enfant-Jésus/Canada
- Co-auteure du livre «33 Histoires vraies, racontées par des médecins», tome I (2013)

Dre Jacinthe Saindon, MD, FRCPC

- Professeur de clinique, Département de psychiatrie et neurosciences, Université Laval, Québec /Canada
- Centre hospitalier universitaire de Québec, Hôpital Enfant-Jésus/Canada

Révision – Réalisation

Nous tenons particulièrement à remercier nos amies et amis qui nous ont aidés à la réalisation de ce livre:

- **BÉCHARD Andrée**, Québec/Canada
  ☞ *Secteur réalisation et relations publiques*
- **BÉLANGER Pierre**, Lac-Beauport, Québec/Canada
  ☞ *Secteur relations publiques*
- **BÉRARD Judith**, Montréal/Canada
  ☞ *Secteur réalisation et relations publiques*
- **BOURQUIN Josette**, Neuchâtel/Suisse
  ☞ *Secteur révision et réalisation*
- **DROUIN Diane**, Lac-Beauport, Québec/Canada
  ☞ *Secteur relations publiques*
- **DROUIN Martine**, Lac-Beauport, Québec/Canada
  ☞ *Secteur révision, réalisation et relations publiques*
- **DROUIN Sophie Rita**, Vaumarcus/Canada & Suisse
  ☞ *Secteur révision, réalisation et relations publiques*
- **FURGER Carmen**, Schaffhouse/Suisse
  ☞ *Secteur révision et réalisation*
- **FURGER Hans Georg**, Schaffhouse/Suisse
  ☞ *Secteur révision et réalisation*
- **OUELLET Denis**, Québec/Canada
  ☞ *Secteur révision, réalisation et relations publiques*

Préambule

Deuxième tome d'une trilogie

Il y a deux ans, nous avons publié intitulé: «33 Histoires racontées par des médecins». C'était le premier tome d'une trilogie. Bien accueilli par la critique, ce recueil d'histoires vécues a aussi été très apprécié par les milliers de lecteurs qui ont partagé les émotions de nos nouveaux écrivains.

C'est du moins ce que plusieurs d'entre eux nous ont dit ou écrit en nous faisant partager leurs états d'âme:

- «Touchant»
- «Très humain»
- «Ça m'a aidé à comprendre mon docteur»
- «J'ai bien ri, mais j'ai pleuré aussi»
- «Ça m'a fait entrer dans un monde insoupçonné»
- «Lire, c'est super, mais apprendre, c'est excitant!»
- «À quand les tomes 2 et 3?»

Quant à nos auteurs, ils nous ont fait part, eux aussi, du plaisir qu'ils ont éprouvé à partager ainsi leurs expériences et à exprimer, pour une fois, les émotions qu'elles avaient engendrées chez eux.

Si besoin était, ce genre de témoignages nous a convaincus de poursuivre notre entreprise et renforcés dans notre projet de trilogie.

Il nous plaît donc d'offrir aux lecteurs de la francophonie une deuxième série de 33 témoignages de médecins ayant vécu des expériences dignes d'intérêt. Les unes sont hilarantes, les autres d'une grande tristesse. Certaines sont totalement inusitées alors que d'autres s'inscrivent dans la trame de la vie courante. Mais elles ont toutes un caractère unique et se rejoignent toutes dans le fait qu'elles ont marqué ceux qui les ont vécues et de leur donner le goût de les raconter.

Le dénominateur commun de cet ensemble de témoignages est le **partage de l'émotion.**

Nous souhaitons vivement à chacun de nos lecteurs un magnifique voyage à travers ces expériences riches et variées qui constituent autant de lieux inconnus et secrets à découvrir et à savourer.

Remerciements

La chance nous est enfin donnée de remercier toutes les personnes qui, ouvertement ou dans l'ombre, ont permis la réalisation de cet ouvrage.

Évidemment, notre gratitude se porte d'abord vers nos auteurs dont la plupart, on le sait, sont débordés de travail et pour qui cette aventure littéraire a représenté un authentique geste de générosité.

Nous tenons aussi à remercier, pour leur contribution et leur temps précieux, les membres du comité de lecture: Denis Ouellet, Josette Bourquin, Hans Georg et Carmen Furger, Sophie Drouin et Martine Drouin.

Un clin d'œil aussi à Judith Bérard de Montréal qui a offert son appui pour prendre les bonnes décisions au bon moment.

Quelle chance d'avoir pu compter sur de tels collaborateurs!

Bonne lecture!

Philippe FURGER

Michel GERVAIS

AUTEURS & HISTOIRES

SUJETS & HISTOIRES

La mort – angoisse de la mort

Sentiment d'insuffisance ou impuissance

Prendre une décision – Incertitude – Doute

Gestion des émotions, des sentiments

Sentiment de culpabilité – Échec

Gestion du stress

Communication (patient, famille, médecin)

Sentiment d'injustice

Mécanismes de défense

Les trois femmes et l'euthanasie

Bernard LEBEAU, Paris/FRANCE

Deux étaient contre. Une était pour. Les trois avaient raison et toutes avaient tort. Le cœur a des raisons que la raison ignore.

Février 2013, je dédicaçais en avant-première au Congrès de Pneumologie à Lille mon deuxième livre «grand public» intitulé «L'euthanasieur». Ce roman de documentations, de vérités et de fictions a pour objectifs de faire réfléchir le lecteur sur la fin de vie et de participer par ses propositions à l'amélioration de la loi la concernant, actuellement nettement insuffisante en France. En deux jours et demi, j'ai ainsi pu dialoguer avec près de quatre cents personnes de profession médicale ou paramédicale, venant de tous les pays francophones. Diffusion d'un message qui est cher à mon cœur. Richesse de l'échange.

Le premier jour, **la première femme** est une pneumologue algérienne de trente ans environ. Traits doux, teint mat, yeux bruns vifs et profonds, non maquillée, portant un voile vert et noir sur ses cheveux dissimulés. Elle témoigne ainsi de sa foi musulmane. Le Coran, comme la Bible, possède en ses versets l'interdiction de tuer. Néanmoins, cette croyante s'arrête à mon stand et regarde avec attention la page de couverture de mon livre. Je peux me permettre de dire qu'elle est belle car je n'en suis pas l'auteur. En gros plan, deux mains entrelacées, l'une flétrie par les années, l'autre plus jeune, symbolisent, à un premier niveau, l'importance de l'accompagnement du patient par les soignants, à un deuxième, la nécessité de s'unir et non de se combattre face à cette situation. C'est le patient qui est le maître, pas le médecin. Écouter l'autre et le respecter. Dans cette optique, je préviens d'emblée ma jeune collègue que ce livre risque de la choquer puisqu'il comporte une démonstration factuelle de l'existence de l'euthanasie et amène à une légalisation de celle-ci et du suicide assisté afin de bien les contrôler. Elle me confirme son opposition totale à cette pratique mais achète pourtant le livre, attirée en partie par un chapitre intitulé «Le musulman» dont je lui avais parlé pour l'assurer de mon total respect vis-à-vis de sa foi, possible source de ce que les croyants appellent un miracle.

Elle revient me voir le lendemain, ton encore doux mais voix plus ferme, pour m'affirmer son désaccord avec la création de ce nouveau métier de «praticien de fin de vie». Elle s'oppose à toute accélération du processus agonique. Dieu seul décide. Je l'interroge:

- Dieu est bien effectivement le Tout-Puissant?
- Oui.
- Dieu aime-t-il les hommes?
- Oui.
- Alors, il ne peut pas accepter de laisser dans des souffrances majeures l'être qu'il a créé.
- La souffrance peut être rédemptrice.
- Je ne suis pas persuadé que ce soit une nécessité. Mais allons plus loin, si Dieu interdit de tuer, comment justifier les guerres, notamment de religion, doit-on aussi condamner la légitime défense? Je pense que Dieu n'avait pas écrit sur les tables de Moïse: «Tu ne tueras pas», mais: «Tu ne commettras pas de meurtres», ce qui est bien différent.

Nous philosophons ainsi pendant près de vingt minutes sans que je ne l'aie à l'évidence convaincue. Nous nous quittons néanmoins bons amis. Ô surprise, elle revient le dimanche, juste pour me dire:

- Il faut que vous sachiez que j'ai longuement parlé hier soir de vos idées à un ami, comme moi médecin, musulman, et qu'il m'a amenée à penser que vous aviez raison sur de nombreux points!

La deuxième femme est grande, la quarantaine bien plantée, visage carré, pâle, brune, cheveux courts à la Jeanne d'Arc, yeux noirs qui me fusillent en disant:

- C'est honteux d'écrire un livre pareil!

Je m'étonne de ce jugement hâtif en lui expliquant que par cet ouvrage, mon objectif n'était pas de provoquer mais de réconcilier les partisans et les opposants à l'euthanasie. Elle hurle:

– Je suis contre l'euthanasie!
– Et vous êtes infirmière, je pense?
– Oui, et un salaud de médecin m'a obligée, quand je débutais, à passer un cocktail lytique à un patient alors que j'y étais opposée. Devant mon refus, il m'a menacée de sanctions et j'ai dû tuer mon patient!
– Je comprends maintenant totalement votre réaction face à mon titre un peu provocateur. Lisez le contenu du livre et vous comprendrez que c'est justement pour éviter ce genre de contrainte inadmissible que la légalisation est nécessaire!

Elle n'a pas acheté mon livre mais nous avons pu nous réconcilier.

La troisième est une pneumologue française de près de soixante ans que je ne connaissais pas. Elle vient directement à moi alors que je suis seul et dit:

– Je dois acheter votre livre. Pouvez-vous me le dédicacer?
– Bien volontiers mais, discutons-en, pourquoi cette obligation?

Et les larmes perlent à ses beaux yeux bleus:

– Parce qu'en 1985, j'ai tué mon père. Presque personne ne le sait. Il était médecin et moi sa fille unique. Il souffrait atrocement de métastases osseuses et rien ne contrôlait plus ses douleurs. À l'époque, personne n'osait parler d'euthanasie. Il me l'a demandé. Je l'ai fait.
– J'admire votre courage. Sans critiquer votre père qui souffrait, ce n'était pas à vous de faire cela et je vous garantis que, même à l'époque, dans une telle situation, nous assumions avec discrétion nos responsabilités médicales dans le service où je travaillais.

Elle a perçu ma profonde émotion et ses pleurs se sont accentués. Près de trente ans après, elle souffrait encore.

Chaque être est différent.

Il faut respecter l'autre. Respect du patient conscient dans ses choix de fin de vie. Respect du patient inconscient dans l'application de directives anticipées tout en ayant soin de protéger cet être vulnérable de décisions hâtives. Respect du soignant dans ses croyances et son droit de rétraction face à une pratique qu'il refuserait.

Analyse d'expert

Sujet des plus difficiles et d'actualité!

Difficile, car chacun a ses croyances, ses valeurs, ses peurs pour lui-même, ses proches ou ses patients. Comment concilier tout cela?

D'actualité, car beaucoup de pays ont légiféré ou s'apprêtent à le faire, afin d'encadrer cette pratique si elle doit survenir. Tôt ou tard, le médecin sera confronté à cette question et il n'y a pas qu'une seule bonne façon de voir cela.

L'ouverture est la seule option. Ouverture au vécu et au propos de l'autre, ouverture à sa propre conception de la vie, de la mort, de la souffrance et toujours penser au meilleur intérêt du patient.

Monsieur Bougon

«Docteur, vous faites un triste métier»

Roland JEANNERET, Vaumarcus/SUISSE

C'est l'histoire d'un homme solitaire pour ne pas dire sauvage. Il habitait un coin reculé dans la montagne, un lieu étrange, un peu inquiétant.

À cet endroit vivaient également quelques originaux, entre autres des braconniers et des gens inspirant de la méfiance. Une famille était notamment réputée pour avoir des dons surnaturels. On disait qu'elle détenait le célèbre et mystérieux «grand grimoire», un livre de magie, permettant de jeter des sorts. Devant la maison, en guise d'accueil, il y avait des dépouilles de corbeaux embrochés sur des piquets.

C'est de cette ferme bizarre que je reçus un jour un appel me priant de me rendre rapidement chez leur voisin, Monsieur Bougon. Il gueulait comme un putois car il ne pouvait plus pisser. C'était en fin d'après-midi, à mi-février. Il faisait beau mais très froid. Une petite couche de brume recouvrait la vallée. Elle faisait effet d'isolant, emprisonnant l'air froid pour la nuit et permettant ainsi au village d'atteindre des records de froid.

Il n'y avait pas de chemin d'accès vers la vieille ferme de Monsieur Bougon. En été, il fallait traverser les prés et en hiver, il fallait brasser la neige. La ferme était enfoncée au fond d'un vallon, sans commodités, ni électricité.

Il commençait à faire nuit quand j'arrivai sur les lieux. Le froid mordait et la neige crissait sous les chaussures. Ça n'était pas encore la mode des raquettes et je dus donc chausser mes skis. J'étais lourdement chargé avec ma trousse médicale et un sac à dos rempli de matériel pour pratiquer un sondage urinaire.

Arrivé à la ferme, tout est silencieux, sombre. Je frappe à la porte sans succès, elle est fermée à clef. Je frappe aux fenêtres en vain. Finalement, j'entends une «beuglée» en guise de hurlement:

– Qui c'est?

Je me présente et on me répond:

– C'est le moment d'arriver!

À pisser de rire de la part d'un mec qui a un blocage de vessie!

Le patient vient m'ouvrir en grognant. Il est affublé d'une longue chemise de nuit qui fut blanche à l'origine mais devint multicolore au fil du temps, jaune-verdâtre devant, couleur bronze derrière. Il est pieds nus dans ses tricounis (chaussures militaires cloutées) et porte un gigli à pompon comme bonnet de nuit. Car mon gaillard, bien qu'il soit à peine 17h30, est déjà paré pour la nuit. Il est vrai qu'en campagne, et surtout sans électricité, on a tendance à s'endormir à l'heure des poules. Monsieur Bougon tient à la main une lampe à huile permettant de passer de la nuit noire à la pénombre.

– Alors Monsieur Bougon, vous ne pouvez plus uriner?

– Vous voulez dire que c'est complètement bloqué, quoi?!

Je me méfiais. Depuis plusieurs semaines, je devais pousser et ça «tröpflait»*. De Dieu que ça fait mal, j'ai la baudruche qui va péter.

– Va falloir que je vous examine.

En palpant le ventre, je trouvai bien sûr une vessie très dilatée, un volumineux globe vésical remontant bien au dessus du nombril.

– Je vais devoir faire un toucher rectal pour apprécier l'état de votre prostate.

Je sentis une grande réticence de mon patient, vieux garçon. Il avait l'impression que je m'y prenais mal et que je l'entreprenais par le mauvais bout, ou plutôt le mauvais trou. Il ne pouvait plus pisser et voilà que j'examinais son rectum!

Finalement, je pus le rassurer sur le bien-fondé de ma démarche. Je tombai sur une volumineuse prostate nodulaire, sûrement cancéreuse, source du blocage urinaire. Bref, une prostate qui «a fait la guerre» comme aime le dire un de mes amis urologue. À ce stade, je pressentais que le sondage urinaire allait être difficile et même sportif.

---

* Germanisme du verbe «tröpfeln» qui veut dire: couler goutte à goutte.

– Je vais devoir faire un sondage de votre vessie.
– Ça va me coûter combien?
– Ça va surtout vous offrir un gros soulagement et ne soulager votre porte-monnaie que d'une centaine de francs.
– C'est pas donné, mais j'ai pas le choix!

Comme prévu, le sondage fut difficile et même impossible. Après avoir essayé des sondes de calibres différents, de plus en plus rigides, becquées, il fallait se rendre à l'évidence, l'urètre prostatique était infranchissable, complètement bloqué par la tumeur. Le patient transpirait à grosses gouttes et moi aussi. Par solidarité, deux chats s'étaient installés au pied du lit et ronronnaient paisiblement.

J'avertis le patient que j'allais devoir utiliser les grands moyens et procéder à un sondage de vessie à travers la paroi abdominale. Le problème, c'est que je n'avais pas de trocart, large poinçon métallique entouré d'un mandrin à vessie. Je proposai donc au patient de l'hospitaliser.

– Exclu, j'aime mieux crever sur place!

Je n'avais donc pas de trocart à vessie mais, dans ma trousse d'urgence, j'avais le matériel pour une trachéotomie avec un coniotome (également un trocart à mandrin mais conçu pour les voies respiratoires). En cas d'extrême urgence, on peut s'en servir pour sauver quelqu'un d'une suffocation en perforant son larynx. Je remis donc les skis et je retournai à ma voiture chercher le matériel de fortune. Une bouffée d'air frais me fit du bien. On éprouve dans ces moments-là un sentiment de grande solitude.

Je retrouvai donc mon patient qui se tordait de douleurs et les deux chats en pleine sieste. J'avais comme seule expérience urologique d'un sondage sus-pubien, le souvenir d'une intervention pratiquée par un chef de clinique quinze ans auparavant.

Il y avait peu de risque de rater la vessie qui occupait une large place du petit bassin. Avec le trocart de fortune, je perçai l'abdomen au-dessus du pubis et l'urine gicla au fond de la pièce, arrosant au passage les deux chats qui s'enfuirent le poil hérissé et parfumés à l'urée en poussant des cris stridents.

Aussitôt le patient fut soulagé. Je pus retirer le trocart et heureusement mettre en place une sonde sus-pubienne. J'étais fier, je venais à coup sûr de réussir une première mondiale dans ce coin perdu: mettre une sonde vésicale avec du matériel de trachéotomie! Je sentis le patient se détendre et pour manifester sa reconnaissance, il eut cette remarque stupéfiante:

– Vous avez mis du temps, merci quand même. Mais je trouve que vous faites un triste métier.

Après avoir expliqué au patient comment vider sa vessie avec le robinet fixé sur la sonde, je promis de venir faire un contrôle le lendemain. En retournant à skis à ma voiture, je pris le temps d'admirer le ciel. Vénus, très brillante, se couchait à l'ouest, suivant de près le soleil. Les constellations d'étoiles étaient parfaitement identifiables, aucune source lumineuse humaine ne leur faisant concurrence.

Triste métier?

Non, ce soir-là j'avais justement l'impression de faire le plus beau métier du monde. Certes, loin de la technique hospitalière et de la complexité de la médecine de pointe, mais je me sentais tellement proche de la nature humaine dans un cadre sublime. Et la voûte du ciel n'était-t-elle pas le plus beau des scialytiques*?

Analyse d'expert

La pratique de la médecine nous ramène à l'essentiel: les contacts humains. Quelle belle relation d'entraide! Le médecin fait tout ce qu'il peut, sans moyens techniques, pour soulager cet homme qui lui est bien reconnaissant malgré son niveau de communication peu élaboré et son retrait du monde.

---

* Volumineuse lampe du plafond permettant d'éclairer le champ opératoire du chirurgien.

Sa gonarthrose et ses réserves d'alcool

Roland JEANNERET, Vaumarcus/SUISSE

Après le sondage vésical, je dus bien sûr revoir régulièrement le patient toutes les six semaines pour changer la sonde. Le problème urinaire étant stabilisé, je m'aperçus que Monsieur Bougon avait de plus en plus de peine à marcher, s'aidant d'une branche de noisetier. Son genou gauche était très déformé et il ne pouvait plus le tendre. Je dus insister pour l'examiner. Le diagnostic était évident: il s'agissait d'une arthrose avancée avec un flexum irréversible, c'est-à-dire qu'il ne pouvait plus du tout tendre son genou. Je proposai une radiographie à mon cabinet. Comme prévu, après une phase de résistance, il accepta en maugréant. La radiographie était encore pire que l'examen clinique. Il n'y avait tout simplement plus de cartilage. Je proposai bien sûr une opération, à savoir une prothèse totale du genou. Le patient ne bénéficiant pas d'assurance maladie et étant près de ses sous, sa première question fut:

– Ça va coûter combien?
– Oh! Il faudra compter quelques milliers de francs.
– Faudra demander un devis au chirurgien.

Et effectivement, j'écrivis au Dr Pellaton, référence en orthopédie, pour lui expliquer la situation d'un patient pas ordinaire et un peu grincheux. Il me répondit rapidement que la facture ne dépasserait pas 2500 francs. On était dans les années quatre-vingts, les prix hospitaliers étaient encore raisonnables. Je montrai donc le devis à Monsieur Bougon qui fut catégorique:

– Trop cher, vous direz au chirurgien qu'il me rappelle quand il aura baissé son prix!

On peut toujours rêver mais il n'y a pas de prix hospitaliers soldés même à Noël! Ainsi, Monsieur Bougon allait finir sa vie en souffrant jour et nuit de son genou, mais heureux qu'on n'ait pas entamé son compte en banque.

À quelques reprises, le patient présenta des épanchements de synovie dans le cadre d'un processus inflammatoire. J'ai donc dû procéder à des ponctions et infiltrations articulaires dans des conditions d'asepsie pour le moins discutables. Pour éviter une infection articulaire toujours grave, il est recommandé d'être rigoureux. Tout doit être propre sinon stérilisé.

Je vous décris le milieu dans lequel je devais travailler à domicile chez Monsieur Bougon. La pièce était sombre, la fenêtre petite et le verre, d'allure dépolie par la crasse. Sur la table, on trouvait pêle-mêle de vieux journaux, des outils rouillés, des boites de sardine éventrées avec des mouches noyées dans des restes d'huile, des couennes de fromages, des restes de pain. Dans ces déchets, deux chats dormaient en boule, mais eux étaient propres. C'est bien connu, les chats sont autonettoyants! Par terre, on retrouvait ce qui avait été sur la table la semaine précédente. La table était nettoyée, je suppose, d'un généreux coup de coude. Il fallait faire attention de ne pas glisser sur une couenne de lard et de ne pas s'encoubler sur un des nombreux obstacles. Au plafond et dans les angles de la pièce, c'était la jungle des toiles d'araignée.

La pièce avait un côté surréaliste et une couleur très tendance, anthracite-crasseux. J'installai le patient sur un lit dont les draps furent blancs il y a fort longtemps. Monsieur Bougon retroussa son pantalon et son long caleçon couleur léopard.

La désinfection fut précédée d'un solide décrassage et pour me donner bonne conscience, je mis un champ opératoire stérile, des gants et un masque. Je m'apprêtais à ponctionner quand le patient intervint:

– Minute, ça va me coûter combien?
– Pas cher, comparé au soulagement que je vais vous apporter.
– C'est ça. Vous tournez toujours tout en bourrique vous. J'ai pas le choix, quoi!

Je ponctionnai 50 ml d'épanchement propre et translucide. Tiens, il y avait quand même quelque chose de propre chez Monsieur Bougon! Je pratiquai une infiltration de cortisone et d'un anesthésique local qui calma rapidement la douleur et améliora la mobilité.

– Alors Monsieur Bougon, ça va mieux?

Le patient, toujours très enthousiaste temporisa:

– Disons que ça va pas plus mal, mais Dieu sait la facture!

Et la situation resta stable quelques mois, à défaut d'être optimale tant à propos de l'arthrose que du cancer de prostate.

Lors de mes nombreuses visites, on réussit à s'apprivoiser l'un et l'autre et il me confia un peu sa vie qui fut assez triste, celle d'un vieux garçon qui n'avait comme meilleure compagne qu'une bouteille de vin. En fait, pas une bouteille mais des litres de vin. À la cuisine, il y avait un coin pour le vin, une trentaine de litres pleins et autant de vides. L'épicier du village passait régulièrement faire l'inventaire, faisant le plein et emportant les litres vides. Le patient buvait du gros rouge d'Algérie, la Réserve du Pastoret.

Un jour, je fus très surpris de constater que les litres de vin avaient été remplacés par des litres d'eau de vie bon marché, de la Pomme.

- Alors Monsieur Bougon, vous avez changé vos habitudes, vous êtes passé à la pomme?
- Ouais, ça m'fait moins de vide.

Et voilà la logique d'un homme qui avait «de la bouteille»! Le patient mourut assez brusquement d'une pneumonie foudroyante et il n'eut même pas le temps de demander:

- Ça va m'coûter combien?

Merci, Monsieur Bougon, avec vous j'ai passé une bonne tranche de vie professionnelle. Il y avait tant de poésie autour de vous et en grattant votre carapace de dur à cuire, on devinait même une grande sensibilité.

Je vous envoie donc quelques fleurs… gratuitement.

Ça va rien vous coûter!

Analyse d'expert

Pour préserver la relation thérapeutique, le médecin doit composer avec les limites imposées par le patient. Autrement, cette relation cessera et le patient n'obtiendra plus de soins, même ceux qui sont jugés sous-optimaux par le médecin qui voudrait faire bien davantage.

Ces limites peuvent être financières, émotionnelles, idéologiques. Le médecin semble ici utiliser l'humour comme mode d'adaptation à cette situation, ce qui est plus fréquent qu'on ne le pense dans la profession.

Rex, le berger allemand qui ne m'aimait pas

Roland JEANNERET, Vaumarcus/SUISSE

La «mère Rose», comme tout le monde l'appelait, avait plus de quatre-vingts ans, était usée par la vie, le travail. Depuis son mariage, elle avait toujours vécu à la ferme, gérant les comptes, le ménage et prenant une part très active aux travaux de la ferme. Elle avait usé ses bras, son dos, ses jambes, mais pas sa foi. Depuis la ménopause, elle devait bien avoir perdu quinze centimètres, à force de porter du lourd, entraînant des fractures progressives. Mais sa foi en Dieu était intacte. Elle parlait souvent du Seigneur.

- Vous avez trop travaillé, trop forcé.
- On n'avait pas le choix. Déjà gamin on devait trimer à la ferme. Le seul moment de repos, c'était le dimanche matin pour aller à l'église. La vie était dure, mais vous savez, Docteur, le Seigneur m'a beaucoup aidée dans la vie.
- Mais maintenant vous pourriez vous reposer, vous avez déjà tant donné.
- C'est pas possible, je dois aider mon fils qui tient la ferme, il n'est pas marié. Que voulez-vous? C'est le vœu du Seigneur.

Son fils, par ailleurs, disait qu'il ne pouvait pas se marier car il devait s'occuper de sa mère. Après son décès......peut-être.

En fait, mère et fils formaient un couple uni par la raison. On sentait chez ces gens un grand respect des autres, de la vie, des animaux, comme le souhaitait le Seigneur. Les chevaux, les vaches, les chats étaient choyés, respectés, surestimés. Ainsi, je demandai au fils pourquoi il mettait une double sécurité sur le portail du pâturage pour éviter que les vaches ne s'échappent, les autres paysans ne mettant qu'un seul système de sécurité.

- C'est parce que les miennes de vaches, elles sont plus intelligentes que les autres.

Revenons à nos moutons et parlons du roi des animaux dans cette ferme, le berger allemand Rex. Un chien magnifique, puissant, dans la force de l'âge et qui prenait très au sérieux son rôle de gardien. Il trônait devant la porte et pour entrer, un étranger devait attendre qu'on vienne à son secours, moi y compris. Avec Rex, il valait mieux éviter les prises de bec. Craignant de finir en «croque-monsieur», j'attendais tranquillement que la mère Rose calme son chien et me fasse entrer. Et malgré plusieurs dizaines de visites à domicile, la situation ne s'améliora pas: je devais attendre, humilié, devant la porte. Et pourtant je n'avais pas peur des chiens. Après mes visites, Rex sortait avec moi et aboyait tant et plus, l'air de dire «Bon débarras!».

En plus des problèmes rhumatismaux, la mère Rose développa des troubles cardio-vasculaires, une hypertension sévère, une décompensation cardiaque avec des œdèmes et une dyspnée. Une fin d'après-midi, le fils me téléphona, affolé.

– Docteur venez tout de suite, la maman ne peut plus souffler et elle a de l'écume qui sort de la bouche!

Je pris ma valise et sautai dans la voiture, devinant que la situation était grave. À ce propos, un vieux médecin de campagne que je remplaçais m'avait dit:

– Quand on vous appelle du village pour une visite, vous pouvez attendre la fin des consultations. Par contre, si c'est un paysan qui appelle pour sa femme ou sa mère, allez-y tout de suite, c'est sérieux et.....n'oubliez pas de prendre un certificat de décès, c'est souvent trop tard!

J'arrivai donc à la ferme rapidement et, contrairement à son habitude, Rex vint me chercher à la voiture sans aboyer et marcha devant pour m'indiquer le chemin, se retournant comme pour dire «Grouille-toi, ça presse». Pas de problème pour passer le pas de la porte: Rex avait décidé que j'étais le bienvenu. En entrant dans la cuisine, nul besoin d'être médecin, le diagnostic sautait aux yeux ou plutôt à l'oreille. La patiente ne respirait pas, elle vrombissait tel un avion et on entendait des bulles sortir de ses poumons. Elle se noyait en raison d'un œdème aigu du poumon, rapidement confirmé par une auscultation. Tandis que je préparais les premières injections, je proposai au fils de demander une ambulance et de conduire sa mère à l'hôpital.

– Non, Docteur, faites ce que vous pouvez ici et si la maman doit partir, mieux vaut que le Seigneur la prenne à la ferme qu'à l'hôpital.

Et me voilà donc investi de la mission d'assistant du Bon Dieu.

J'installai une perfusion avec des diurétiques et de la morphine et mis en place des garrots aux racines des quatre membres. Cette vieille technique fera sourire mes jeunes confrères, mais elle était d'actualité dans les années soixante-dix. Le but souhaité étant de retenir en périphérie le maximum de liquide.

Alors que j'installais les garrots, le fils me fit la réflexion: «Pourquoi attacher la maman? Elle ne va pas se sauver!».

Après trente minutes, la situation s'améliora nettement. La patiente urina abondamment, à tel point que je dus installer une sonde urinaire pour son confort, le vase dans le lit n'étant pas adapté. Ça paraît tellement facile à l'hôpital avec des lits électriques et un accès aisé des deux côtés. À l'époque, surtout à la campagne, les gens dormaient dans de grands lits, haut perchés et coincés contre le mur. Souvent on devait ausculter et donner les soins à genoux sur le lit. Parfois à notre époque, ça n'est guère mieux avec les jeunes qui dorment à même le sol.

Pendant que je soignais sa patronne, Rex resta couché au pied du lit me suivant des yeux. Régulièrement, le fils qui était à la traite venait prendre des nouvelles, son béret de vacher gras vissé sur la tête et la chaise à traire fixée sur les fesses. Après une heure et demie, rassuré, je pus quitter la patiente et promis de revenir en fin de soirée pour un contrôle.

Le fils me remercia et ajouta qu'il avait eu raison. Une hospitalisation n'était pas nécessaire.

Rex aussi me remercia. De la chambre jusqu'à la voiture il m'accompagna de près et me lécha sans discontinuer. Et ceci à chacune de mes visites, de la voiture à la ferme et sur le chemin de retour, il me léchait la main. Il assistait fidèlement à l'examen médical, couché au pied du fauteuil. Rex, le berger allemand qui ne m'aimait pas était devenu mon ami fidèle.

Par contre un seul bémol!

Plusieurs années plus tard, la maman était décédée depuis longtemps, le fils avait trouvé une amie. Mais malheureusement, on découvrit chez lui une tumeur maligne du cerveau. Cette tumeur était inopérable et on lui proposa une radio-chimiothérapie qu'il hésitait à accepter.

Un matin à l'aube, le jour de la première chimiothérapie, on retrouva le patient pendu à la grange. Je revois le regard de Rex, assis au pied du corps de son maître. Il me fixait, l'air de dire «Cette fois, tu ne peux rien faire!».

C'est la dernière fois que je vis Rex qui fut placé dans une autre ferme.

Analyse d'expert

Surtout s'il fait des visites à domicile, le médecin a le privilège d'entrer dans l'univers du patient et de toute sa famille. S'intégrant à l'environnement du patient, il peut mieux connaître sa condition, ses limites, ses forces et saisir les dynamiques présentes entre les différents intervenants. Cette fois, même avec le chien, qui agit en protecteur de ses maîtres.
Ce contact est un réel privilège sur le plan humain.

De la dépression et de l'inceste

Pierre GAGNÉ, Sherbrooke/CANADA

Marie-Thérèse me fut référée par un médecin qui l'avait vue à la salle d'urgence de l'hôpital où je travaillais. Selon la note du médecin, elle n'avait pas d'antécédent psychiatrique. Il la décrivait comme une dame de soixante-deux ans, mère de douze enfants, avec une symptomatologie dépressive accompagnée d'idées suicidaires, sans histoire de passage à l'acte. Il n'avait pu identifier de facteur pouvant expliquer sa détresse.

Lorsque je rencontre la patiente, elle se présente comme une femme bien portante, alerte, qui cherche à maintenir un sourire malgré des larmes qui coulent dès que je lui demande ce qui l'a amenée à consulter à la salle d'urgence. Elle commence par nier toute problématique que ce soit, me disant qu'elle ne comprend pas pourquoi elle se sent si mal, si triste, si désemparée, n'ayant jamais vécu rien de semblable dans le passé. Je parcours avec elle les différentes étapes de sa vie. Elle a eu une enfance sans particularité, à l'exception d'un père qu'elle qualifie d'un peu trop dominant. Elle sort bien jeune de son milieu familial pour épouser l'homme avec lequel elle vit encore. C'est un individu qui a trois ou quatre ans de plus qu'elle, un homme qu'elle qualifie de bon travaillant, ne buvant pas, ne présentant aucune violence physique ou verbale, sévère mais juste. Ils ont toujours demeuré sur une ferme. Elle a donné naissance à douze enfants qu'elle décrit comme de bons enfants, ne lui ayant jamais causé de problèmes et qui ont progressivement quitté la maison à mesure qu'ils devenaient des adultes ou qu'ils entreprenaient des études à l'extérieur. Elle raconte cela avec beaucoup de spontanéité, sans réserve.

Questionnée sur sa relation avec son mari, elle me dit que tout a bien été, qu'elle n'a jamais eu de problème au niveau du couple et me répète que c'est une bonne personne.

Lorsque je l'invite gentiment à me dire ce qui l'amène dans un bureau de psychiatre, lui soulignant qu'elle est de toute évidence très triste et qu'il doit bien y avoir une raison derrière tout cela, elle éclate en sanglots et me dit qu'elle souhaite mourir, ne pouvant accepter l'idée que sa fille cadette subisse le sort de ses cinq autres filles. Elle raconte que sa fille cadette souffre d'un déficit intellectuel et elle ne peut se faire à l'idée que comme les cinq plus vieilles, elle soit obligée d'avoir des relations sexuelles avec son père. Elle explique que son mari, lorsque ses filles atteignent l'âge de douze ou treize ans, s'approche d'elles et qu'il a des relations sexuelles complètes avec elles, jusqu'à ce qu'elles quittent la maison. Il prend alors la suivante et répète le manège. Elle est bien consciente de tout cela, estime qu'elle ne peut rien faire, se blâme. Avec la plus jeune, compte tenu de son déficit intellectuel, elle ne peut plus garder le silence. Elle estime qu'elle ne peut pas davantage rendre la chose publique, ne voulant pas courir le risque de faire exploser la famille et que le déshonneur et l'opprobre publique descendent sur eux.

De là les idées suicidaires.

Elle répète qu'elle préfère mourir plutôt que laisser son mari abuser sa fille, ou encore voir son mari possiblement emprisonné. À cette époque, soit il y a une quarantaine d'années, l'inceste était souvent un secret bien gardé à l'intérieur de la famille. Les enfants victimes, le plus souvent des filles, se faisaient dire par leur mère soit d'arrêter de mentir soit de ne surtout jamais parler de tout cela à qui que ce soit sous peine de voir la famille éclater et de voir leur père envoyé en prison.

Il faut savoir que le père était souvent la seule source de revenus. Les raisons du silence complice des épouses des pères incestueux étaient plus complexes. À la crainte de voir leur mari disparaître s'ajoutent paradoxalement des sentiments de culpabilité. Si le mari se servait de ses filles comme partenaires sexuelles, c'était qu'elle n'avait pas été une épouse adéquate.

Suite à l'histoire de Marie-Thérèse et à l'examen, je l'ai placée sous une médication antidépressive, lui expliquant qu'évidemment, cela ne changerait rien dans les faits de façon immédiate, mais que cela pourrait l'aider à traverser une période difficile. Je lui ai aussi demandé de signifier à son mari que je voulais le rencontrer, lui disant qu'il y avait peut-être une façon de solutionner son problème.

La semaine suivante, je rencontrais Robert, l'époux de Marie-Thérèse. C'était un solide gaillard bâti comme un chêne. Questionné sur sa compréhension de la situation de son épouse, il disait pleinement réaliser qu'elle était découragée. Il savait qu'elle ne dormait plus, qu'elle avait perdu l'appétit et qu'il la surprenait régulièrement à pleurer seule. Il me répétait ce qu'elle m'avait dit, soit qu'il n'avait jamais discuté avec elle de ce qui pouvait la plonger dans cet état de désespoir. De fil en aiguille, il me parla de ce que fut sa vie, comment il avait été élevé sur une terre, comment il avait hérité de la ferme de son père. Il était fier d'avoir élevé douze enfants. Il n'avait jamais été malade, n'avait jamais été victime d'accident, n'avait pas d'histoire de consommation de substance intoxicante.

Questionné sur sa vie sexuelle passée, il répondit spontanément que sa première relation sexuelle avait été avec son épouse et qu'il n'avait jamais eu d'autres femmes dans sa vie. Il expliqua que son épouse avait subi une hystérectomie qu'il appelait «la grande opération» alors qu'elle était dans la quarantaine et que pour lui, ça avait été la fin de sa vie sexuelle avec elle. Il m'annonça:

– Ce n'était plus une femme.

Il me raconta ensuite qu'à mesure que ses filles atteignaient l'âge de douze ou quatorze ans, il les prenait comme partenaires sexuelles, tout comme il avait vu son propre père le faire, passant d'une à l'autre. Pour lui, c'était une alternative acceptable. De cette façon, il ne trompait pas sa conjointe en allant voir d'autres femmes. Il prenait ce qui lui appartenait et ses filles ne disaient rien. Il avait une vague idée à l'effet qu'il pouvait s'agir de quelque chose d'incorrect, mais cela n'avait jamais interféré avec ce qu'il considérait comme ses besoins.

Je lui ai exposé alors directement que son épouse était désespérée à l'idée qu'il ait des contacts sexuels avec sa fille cadette, qu'elle souffrait d'une dépression qui risquait de la conduire à son suicide. Il demeura plusieurs secondes sans rien dire, pensif, le regard au loin, puis me demanda s'il y avait un traitement à la fois pour son épouse et pour lui-même.

Je lui expliquai que j'étais au fait que des chercheurs à l'Université Johns-Hopkins à Baltimore avaient traité des individus avec une problématique de comportement sexuel anormal avec des hormones, amenant un état de castration chimique. Il me répondit qu'il savait bien ce qu'était la castration, ayant vu l'effet que cela produisait chez ses animaux et se disait prêt à recevoir un tel traitement si cela était possible.

C'est ainsi que Robert devint le premier patient au Canada, à ma connaissance, à recevoir au début des années 1970 de la médroxyprogestérone dans le but de diminuer son taux de testostérone et de faire cesser son activité sexuel déviant. Il reçut cette médication pendant plusieurs décennies, sa fille cadette, à cause de son handicap, demeurant chez ses parents. En fait, il a continué à prendre le médicament jusqu'à un âge avancé, refusant mes propositions de cesser le médicament, se disant incertain de ce qui pourrait se produire s'il le faisait. Parallèlement, je continuais à voir son épouse, dont l'état émotionnel s'améliora rapidement, qui cessa de s'inquiéter au sujet du sort de sa fille et qui m'assura au cours de toutes les années qui suivirent que jamais il n'y eut de tentative de rapprochement de son mari avec sa fille.

En traitant le mari pour sa paraphilie, on traita la dépression sévère de l'épouse et on prévint qu'une déficiente soit victime d'abus sexuel de la part de son père. La famille demeura unie et éventuellement, les fils aînés prirent en charge la ferme. La situation ne fut jamais exposée sur la place publique.

C'était une autre époque. Les choses ont bien changé. De nos jours, il est fort probable qu'une telle situation se serait retrouvée en première page des journaux et dans les bulletins de nouvelles télévisés. Le père aurait été traduit en justice et condamné à une longue peine d'emprisonnement. Le côté punitif a maintenant pris le dessus sur le côté thérapeutique.

J'ai présenté ce récit vécu pour démontrer comment il est

important de rechercher, à travers l'histoire personnelle, les causes fondamentales d'une dépression sévère, et comment il importe de s'adresser aux causes externes si on veut solutionner le problème d'une façon rapide et efficace. L'humain est rarement malheureux sans cause.

D'autre part, sans le savoir, Marie-Thérèse et Robert ont contribué à l'introduction au Canada d'un traitement pour les paraphilies, qui fait encore partie de l'arsenal thérapeutique en association avec la thérapie cognitive et les inhibiteurs de la recaptation de la sérotonine.

Analyse d'expert

Difficile de lire et de commenter cette histoire de cas survenue il y a si longtemps en se référant au contexte social actuel, où la dénonciation des abus sexuels est recommandée et considérée comme faisant partie du processus de guérison et de réhabilitation des victimes.

Difficile aussi pour le médecin de se placer dans une situation d'aidant envers l'«abuseur», car ces histoires d'inceste ne sont pas sans susciter une réaction de contretransfert négatif (réaction émotionnelle du médecin envers le patient, en lien avec les réactions du patient et nos valeurs), qui pourrait nuire à la recherche de solutions.

Cette histoire met cependant en lumière l'importance de documenter le contexte d'apparition de la dépression, car des événements extérieurs contribuent souvent au tableau dépressif et le traitement devra en tenir compte.

Nuits camerounaises

Blaise COURVOISIER, La Chaux-de-Fonds/SUISSE

Nul ne me contredira, je suppose, si j'affirme que la nuit représente un moment angoissant, tant pour les malades que pour les médecins de garde. Lorsque j'étais au Cameroun, de 1983 à 1985, j'ai été de garde toutes les nuits. Nous habitions, mon épouse et moi, une petite maison mise à notre disposition par l'hôpital, à une cinquantaine de mètres du service de chirurgie. À cette époque (bénie), il n'y avait aucun téléphone à Bandjoun et toutes les communications devaient se faire par messagers interposés. En l'occurrence, c'était soit le gardien de l'hôpital, soit l'infirmière de garde qui descendait la colline par un petit chemin de terre pour venir frapper au volet de la chambre à coucher. Autant dire que je n'ai guère dormi sur mes deux oreilles durant ces deux années, pour autant que cela soit anatomiquement possible.

Il me fallait aussi déchiffrer la sémantique locale. Si c'était, en effet, l'infirmière qui venait elle-même, il y avait un degré d'urgence plus important que si c'était le gardien qui était dépêché. Et lorsque l'infirmière m'annonçait que «la patiente était bien fatiguée», il fallait traduire par un degré d'urgence extrême, «fatiguée» signifiant «en état de choc»! Ce que je n'avais pas compris la première fois.

Il y avait aussi les nuits difficiles qui suivaient des interventions graves et compliquées, au pronostic vital sombre. Dans ces cas-là, je redoutais plus que tout d'entendre, au milieu de la nuit, le concert des lamentations qui suivaient un décès. Je montais alors en hâte pour épauler les familles. Parfois il s'agissait de mon opéré, mais plus souvent les cris venaient des pavillons de médecine et de pédiatrie car il y avait alors une mortalité infantile importante, parfois saisonnière, en raison des épidémies rougeoleuses par exemple, mais aussi récurrente en raison de l'endémicité du paludisme.

Et puis la nuit, c'était aussi le moment où le jeune médecin que j'étais devait faire preuve de débrouillardise. Nous avions, en effet, une équipe de bloc opératoire très restreinte, quasiment toujours de piquet (d'astreinte), elle aussi.

Lors d'une urgence nocturne, césarienne par exemple, il fallait aller la chercher au village voisin de l'hôpital où ils vivaient en famille. Il était parfois impossible de tous les rassembler et je devais alors piquer la rachidienne avant de débuter l'intervention, demandant à l'aide de salle de positionner le masque à oxygène sur la patiente, sachant que nous n'avions bien entendu pas à disposition de saturomètre ni de monitoring tensionnel ou cardiaque! D'autres fois, c'était l'assistant qui restait introuvable et je devais, là aussi, faire appel au garçon de salle pour m'aider à extraire l'enfant.

La nuit toujours, c'était aussi l'occasion de rencontres furtives avec mes concurrents locaux, les «médecins traditionnels». Eux venaient faire leur tournée vespérale lorsqu'ils pensaient que j'avais terminé ma propre visite. Or, parfois je remontais de mon propre chef pour visiter un opéré qui me donnait quelques inquiétudes et je les trouvais alors au chevet des malades, en train de leur faire diverses magies ou de les inviter à ingurgiter des tisanes ou des herbes. À mon approche, ils s'enfuyaient par les fenêtres, car je m'étais déjà mis dans une colère noire à la suite de complications dues au mélange de ces deux médecines qui, bien souvent, ne faisaient pas bon ménage.

Et lorsque je rentrais, juste avant l'aube, d'une intervention urgente ou d'une naissance difficile, je savourais ces instants de solitude, au cœur de la chaude nuit équatoriale, si riche en bruissements d'oiseaux et de bêtes plus ou moins sauvages. Ces brèves minutes de bonheur pur me payaient pour toutes mes angoisses nocturnes et ma fatigue.

Analyse d'expert

La douche froide (ou chaude, si l'on est au Cameroun) d'un début de pratique! L'angoisse des premiers pas en pleine autonomie, l'effet de fatigue et d'angoisse des nuits d'insomnie successives, l'adaptation culturelle, la communication nuancée faisant toute la différence entre une urgence ou non. Le long cursus de médecine ne peut tout enseigner ni tout prévoir. Toutefois, il sélectionne des gens curieux, courageux, débrouillards, au sens du devoir et du dépassement certains, qualités qui leur permettent de servir, traiter et rejoindre les gens qui ont tellement besoin d'eux!

Une histoire de prostate, de mariage et de lapins

Blaise COURVOISIER, La Chaux-de-Fonds/SUISSE

En 1983, je travaillais dans un hôpital missionnaire de l'Ouest du Cameroun. Nous étions deux médecins pour nous occuper d'un établissement de plus de 300 lits. Mon collègue Cosme, béninois, s'occupait des services de médecine et de pédiatrie. De mon côté, j'avais la tâche de tous les actes opératoires, chirurgicaux et obstétricaux, mais aussi gynécologiques et d'ORL et, au besoin, de l'extraction de dents pourries.

Il y avait très peu de personnel infirmier. Ainsi, ne prenions-nous en charge que des patients et des patientes qui se présentaient à l'hôpital avec un accompagnant qui allait devoir se charger de nourrir le patient, de le laver, de l'aider à se lever, en un mot d'assurer ce que l'on désigne aujourd'hui par le «nursing».

Un jour, je reçois en consultation un homme âgé, à la chevelure et la barbe blanchissantes, chose assez rare dans cette région où l'espérance de vie moyenne ne dépassait guère, à cette époque, les soixante ans. Il souffrait d'un prostatisme sévère et au toucher, je sentais un énorme adénome que je décidai de lui enlever, ce qui lui convenait parfaitement. Au jour dit, voici mon patient qui se présente dans le service avec son accompagnant, en l'occurrence une toute jeune femme qu'il me présente comme sa dernière-née de sa troisième femme, affirmant ainsi implicitement qu'il était un notable, suffisamment aisé pour s'offrir et entretenir trois épouses. Elle amenait avec elle tout le nécessaire pour une hospitalisation prévue pour une dizaine de jours: pagnes multicolores en guise de literie, coussins et couvertures, serviettes, matériel de cuisine et nourriture, savon. Bref, le ménage au complet.

L'hôpital, en effet, ne mettait à disposition dans les chambres que des lits de fer et un matelas recouvert de plastique épais. Dans la cour de l'hôpital, il y avait une zone pour la cuisine avec quelques places de feux, des points d'eau et quelques latrines. Durant le jour, cela créait une vraie ambiance villageoise bamiléké, avec des rires, des chants, des cris, des enfants à moitié nus, jouant au milieu des mamans préparant des plats locaux, avec aussi des poulets et quelques rares chèvres... et parfois aussi, malheureusement, des lamentations au décès d'un proche.

Lorsque j'opérais des prostatiques, je devais m'assurer que l'accompagnant serait fiable car celui-ci avait la lourde responsabilité d'assurer le rinçage continu de la vessie pour éviter un catastrophique caillotage qui nécessitait alors une réopération. N'ayant pas les moyens d'avoir des flacons stériles, trop coûteux, j'avais mis au point un système d'irrigation fait de gros flacons de trois litres en verre (qui contenaient à l'origine du vin espagnol) dans lesquels je mettais de l'eau bouillie, filtrée et additionnée d'une petite dose de sel, branchés sur une tubulure de perfusion fixée sur la sonde sus-pubienne. Une sonde vésicale classique, sur sac, assurait la vidange vésicale. Cela nécessitait donc une attention extrême de la part de l'accompagnant qui devait dormir par petites tranches pour pouvoir toujours aviser suffisamment tôt l'infirmière de service qui devait changer les flacons.

En l'occurrence, l'intervention sur ce patient se déroula de façon satisfaisante et permit d'enlever une prostate de la taille d'une orange! Sa charmante fille eut à cœur de surveiller et d'assister son vieux père de façon remarquable et lui évita ainsi des complications. À l'ablation des sondes, le vieux put enfin uriner sans obstacle et retrouver un jet de jeune homme, ce qui le mit réellement en joie!

Au dixième jour, lors de la visite quotidienne, je pus donc lui annoncer qu'il était apte à rentrer dans son village. Il était enchanté et entama alors un long discours de remerciements et de louanges, à l'adresse tant des infirmières que du bloc opératoire et de son chirurgien. À la fin de cette longue diatribe, il prit la main de sa fille et, s'approchant de moi, la mit dans la mienne en m'annonçant qu'il était si heureux qu'il me donnait sa fille en mariage.

J'étais stupéfait, bien entendu. Mon équipe camerounaise et tous les autres patients de la chambre riaient aux éclats, se réjouissant déjà des bombances qu'entraînerait un tel mariage!

Il me fallut alors des trésors de diplomatie pour faire comprendre à mon patient que j'étais déjà marié (ce qui était pourtant assez évident puisque mon épouse, seule autre Européenne de la région, travaillait au secrétariat et donc l'avait reçu à son admission), qu'il m'était donc impossible d'accepter ce somptueux et délicieux cadeau et finalement que la bigamie était un délit en Suisse.

Bien que très déçu, mon «ex futur beau-père» dut admettre que le Blanc n'avait pas la même façon de vivre et il reprit donc sa jeune fille qui, elle, n'avait pas eu droit à la parole durant toute cette scène!

Le lendemain soir, on frappe à la porte et quelle n'est pas ma surprise de voir cette même jeune femme, toute souriante, me tendre un panier contenant un couple de lapins! Mon patient s'était ainsi acquitté de sa dette à mon égard et m'avait aussi envoyé un petit signal me rappelant que nous étions sur cette terre pour procréer, à l'instar de ses lapins, puisque, arrivés depuis plusieurs mois déjà, nous n'avions toujours pas de promesse de future naissance....

Analyse d'expert

Les marques de reconnaissance sont fréquentes, toutes aussi diverses qu'influencées par le contexte culturel. Quelle que soit leur nature, elles constituent toujours une occasion d'appréciation mutuelle.

Noir de jais

Éric PARIETTI, Lyon/FRANCE

C'est une de mes premières gardes comme spécialiste en chirurgie cardio-thoracique. Je suis techniquement au point et confiant mais cette fois, je n'ai pas la possibilité de contacter un collègue aîné pour avoir un avis, confirmer une décision opératoire, partager une situation compliquée. Personne au-dessus de moi. C'est l'autonomie complète à laquelle tout chirurgien aspire toute sa carrière. Et pourtant cette responsabilité tout à coup m'angoisse. Serai-je à la hauteur de la situation?

Une des premières donc... Une jeune patiente nous est transférée pour une dissection aortique compliquée d'une tamponnade liquidienne. Pour faire simple, l'artère principale (l'aorte) sortant du cœur est en train de se déchirer et le sang qui remplit l'enveloppe dans laquelle se trouve le cœur comprime ce dernier (tamponnade), l'empêchant de battre normalement. Bref, il faut faire vite. La patiente montre des signes de détresse. Avec l'aide de l'ensemble de l'équipe, je parviens à ouvrir rapidement le thorax de cette jeune patiente pour décomprimer son cœur. Quelle surprise cependant de nous apercevoir que le diagnostic attendu n'est pas le bon! Ce n'est donc pas une dissection aortique!

Ravi d'avoir résolu le problème qui mettait la patiente en danger immédiat, je suis confronté à l'incompréhension. Les médecins, et particulièrement peut-être les chirurgiens, n'aiment pas beaucoup rester dans l'incertitude. Nous sommes formés à l'approche rationnelle des problèmes: il existe toujours une solution scientifique ou empirique. Or, chez cette jeune femme mariée et mère de deux enfants, la solution donnée au problème n'est que partielle. Sa vie est sauvée, mais l'origine du saignement nous demeure inconnue. Nous rediscutons donc de son cas entre collègues de spécialités, d'expériences et d'âges différents. Finalement, on découvre que le saignement est dû à une prothèse circulaire métallique, mise en place sur une des cloisons internes du cœur plusieurs années auparavant pour fermer une communication anormale entre les cavités du cœur. Au fil du temps, cette prothèse métallique avait abîmé les parois du cœur, d'où le saignement.

Il faut donc opérer notre jeune patiente à nouveau pour enlever cette prothèse dangereuse et la remplacer par un petit bout de tissu suturé dans les cavités du cœur. Je me réjouis de pouvoir m'occuper d'elle à nouveau, de pouvoir apporter une solution durable à son problème. Mais les choses n'allaient pas être si simples...

Voulant rester cohérents avec leurs croyances, la patiente et sa famille refusent les transfusions sanguines. Or, il se trouve qu'au cours de la première intervention «de sauvetage», la patiente a perdu beaucoup de sang, et que la seconde opération, qui sera cette fois menée à cœur ouvert, rendra obligatoire la transfusion sanguine. Refus de la patiente. Elle est catégorique. Calme et sereine, certaine que son choix est le bon, cette jeune femme que l'on a déjà «sauvée» une première fois est désarmante de stabilité lorsqu'elle refuse, conformément à ses croyances, de se faire opérer si on ne peut lui assurer qu'elle n'aura pas de transfusion. Dilemme. Nous nous devons de l'informer clairement, et loyalement, des besoins, des modalités, des risques de l'opération, et des risques de l'absence d'opération. Et il nous incombe de respecter ses choix.

Nous décidons donc de différer l'intervention de quatre semaines pendant lesquelles des médicaments lui permettront de fabriquer le sang qu'elle a perdu et qui lui est indispensable à la seconde opération sous circulation extra-corporelle. Alors que cette décision rend les choses en partie plus sécuritaires, elle risque aussi de les compliquer. En effet, il sera techniquement plus difficile de l'opérer une seconde fois au cœur, un mois plus tard. La nature est ainsi faite que la cicatrisation se fait et rend les choses plus difficiles la seconde fois. Il est même admis qu'un mois plus tard est le pire moment pour intervenir à nouveau.

Encore un dilemme. La persuader de la nécessité de se faire opérer, avec une transfusion sanguine certaine, sans respecter sa croyance? Attendre plus de quatre semaines pour faciliter la deuxième opération, mais lui faire courir un risque de récidive de saignement interne? Refuser de la soigner, comme tout médecin en a le droit, hors le cas de l'assistance à personne en danger, sans s'en justifier? Ne serait-ce pas juger la valeur de sa croyance et trahir la confiance dont elle gratifie son médecin?

La décision est donc prise. Le rendez-vous est planifié. L'intervention aura lieu un mois plus tard.

Le début de la seconde intervention se déroule normalement. Une fois le cœur refroidi et arrêté, la prothèse en cause est retirée et la communication anormale entre les cavités du cœur est fermée par un petit bout de tissu synthétique suturé.

Une fois le cœur refermé et réchauffé, alors qu'il a repris son autonomie, il cesse brutalement de fonctionner. Le muscle cardiaque est incapable de maintenir une activité satisfaisante, sans que l'on comprenne vraiment pourquoi. Mais pareille situation ne permet pas d'attendre la réponse. L'heure est grave et n'est pas au questionnement. Il s'agit de rebrancher, le plus rapidement possible, le cœur de cette jeune patiente à une machine pouvant le remplacer temporairement et faire circuler le sang à sa place. Une fois la machine branchée, des examens complémentaires seront faits pour tenter de comprendre l'origine de la défaillance cardiaque. L'ensemble de ces examens s'avérera non contributif et nous n'aurons pas trouvé la cause de cette défaillance cardiaque.

Je dois maintenant rencontrer l'époux de la patiente, accompagné de la sœur de cette dernière. Je leur explique la situation en toute franchise, en décrivant les détails de l'intervention. Je leur fais part du fruit de la réflexion de l'ensemble de l'équipe sur l'origine supposée de ce drame, à l'issue de cette procédure de chirurgie à cœur ouvert, couramment pratiquée, qui normalement ne pose pas de problème, mais offre des perspectives pronostiques favorables. Or, ici, la patiente est entre la vie et la mort. Le fonctionnement normal de son cœur est impossible et doit être soutenu par une machine d'assistance circulatoire. Cette jeune mère de deux enfants n'est plus en mesure d'accepter ou de refuser un traitement. C'est donc son conjoint qui doit se prononcer sur l'apport de transfusion sanguine. Une fois de plus, la situation fait vaciller mes certitudes. Déjà croulant sous le poids de la culpabilité, même si on ne connaît pas encore la raison du problème, inquiet pour la patiente et sa famille, je dois mobiliser toute mon énergie pour convaincre celle-ci de la nécessité de la transfusion sanguine. La situation est instable, mais sans ces transfusions, l'issue sera assurément fatale. Un médecin ne peut soigner quelqu'un contre son gré, mais il peut lui être reproché de ne pas avoir porté assistance à personne en danger. Comment ne pas être perplexe en pareille occurrence?

Nous discutons longuement. L'ensemble de l'équipe, solidaire dans ces situations difficiles, fait bloc pour proposer au conjoint un discours cohérent. Nous lui expliquons la gravité de la situation et l'absolue nécessité de transfusion de sang. Il finit par l'accepter. Quel dilemme à nouveau pour lui! Prendre une décision qui peut sauver la mère de ses enfants tout en semblant bafouer sa foi et celle de sa compagne. Je reste admiratif devant la confiance qui l'anime, confiance en elle, confiance en moi et en l'ensemble de l'équipe, et devant l'amour qui se dégage lorsqu'il prend cette décision.

De mon côté, je suis absolument effondré. Persuadé d'avoir mal fait mon travail, de ne pas m'être entouré des précautions nécessaires et élémentaires pour mener à bien cette intervention réputée «simple», je m'impose en seul responsable de ce drame. C'est un enfer de culpabilité. Je suis peiné, véritablement affecté par la tournure des événements. Si la chose était possible, je dormirais au chevet de ma patiente. Je vais la voir régulièrement avec, au creux du ventre, un nœud que je crains sentir se resserrer si l'on m'annonce une nouvelle dégradation de la situation.

L'évolution de ma patiente est très, à vrai dire, trop lentement favorable après plusieurs jours d'assistance cardio-respiratoire complète et d'un long séjour en réanimation. Tout de même, la tension, l'inquiétude et la peur se dissipent peu à peu chez moi, à mesure que son état s'améliore. Puis quel soulagement, enfin, de la voir sans plus aucune machine, et de pouvoir l'entendre parler avec son époux. Je suis simplement heureux! Elle ne sait pas vraiment ce qui s'est passé. Elle ne comprend pas mon enthousiasme, bien sûr. J'ai beaucoup de choses à lui dire...

Au cours de ces jours de réanimation, ma compagne, au soutien toujours inconditionnel, me demandait ce qui me tracassait. Je me souviens lui avoir répondu que je ne serais tranquillisé, vraiment apaisé, que lorsque cette patiente quitterait l'hôpital sur ses deux pieds. Lors de cette période sombre, j'avais à l'esprit la couleur de ses cheveux noirs de jais où je ne voyais briller que l'espoir d'une issue favorable à ce drame familial.

La patiente a finalement pu quitter l'hôpital en marchant! Elle a repris, je crois, une vie normale après une période un peu longue de rééducation.

Je les ai revus, elle et son époux, lors d'un bilan de suivi à distance des événements. Quelle joie véritable j'ai ressentie, quelle gratitude envers la vie! Quel bonheur de voir ces yeux pleins de vie alors que la fin avait été si proche!

Nous n'avons jamais vraiment compris l'origine de cette défaillance à l'issue de l'intervention. Je garde de cette histoire trois éléments en mémoire: l'incertitude qui nous fait avancer et nous remettre en question, la gratitude de cette patiente et de son époux envers moi et l'espoir qui brillait dans des cheveux **noirs de jais**.

Analyse d'expert

La médecine la plus technique nous ramène invariablement à l'émotion humaine: celle du patient, celle des proches, celle du médecin. Même lorsque le plan d'intervention paraît simple, des complications peuvent surgir, qui nous feront ressentir le doute, l'angoisse, la culpabilité, mais souvent aussi le soulagement, la joie, le sentiment d'avoir réussi!

La vieille bonne médecine est-elle révolue?

Xavier VENTURA, Colombier/SUISSE

1985. J'entame ma journée de garde. Mon chef m'informe qu'un jeune psychotique arrive sous escorte policière. Il a tout cassé chez ses parents. J'ai à peine une année d'expérience en psychiatrie. Mon chef me dit:

– Si vous voulez savoir ce qu'est un délire, restez seul avec lui dans la pièce.

Au terme de la rencontre, il vient me chercher et me félicite d'avoir tenu le coup. Je n'ose pas lui dire que j'étais littéralement pétrifié pendant toute la durée de l'entretien. Luc était complètement délirant, agité. Je n'ai rien compris à ce qu'il m'a raconté, mais j'ai tenu le coup. Selon mon chef, j'ai contenu l'énorme excitabilité de Luc; j'ai joué, sans m'en rendre compte, le rôle maternel indispensable à tout thérapeute. Je suis content de l'apprendre.

Le lendemain, Luc demande à me voir. Il s'en suit une série d'entretiens où une relation thérapeutique peut s'établir, notamment à travers les dessins de Luc, surréalistes projections de ses fantasmes archaïques. Moi-même adepte du surréalisme depuis l'adolescence, «je régresse» pendant les entretiens avec Luc, me laissant aller à ma partie irrationnelle.

Avec l'équipe soignante, nous nous enthousiasmons devant les progrès de Luc. Nous cherchons à rationaliser son monde archaïque et à élaborer des projets avec lui pour qu'il s'intègre à notre vie, à nous autres. Nous voulons l'aider à acquérir une autonomie, voire à développer une activité professionnelle. Pendant les gardes à l'hôpital, je passe beaucoup de temps avec Luc. Notre relation tourne autour de ses dessins et de la musique. Sans m'en rendre compte, je l'ai pris en affection et je veux le guérir sans tenir compte de l'indispensable distance thérapeutique.

Après des semaines de préparation, une place se libère dans un appartement protégé. Nous sommes heureux de pouvoir intégrer Luc dans ce nouveau projet thérapeutique qui démarre dans notre région. Dès la nuit de son arrivée à l'appartement, Luc a dû être ramené à l'hôpital, angoissé, en proie à un fort délire de persécution. Malgré nos efforts, il n'a pas acquis de réelle autonomie.

Faisant fi de ses angoisses et des limitations fonctionnelles propres à sa maladie, nous projetons sa sortie de l'hôpital et sa réintégration dans l'appartement protégé. Je ne saisis pas l'angoisse exprimée dans son regard ni n'interprète correctement ses peurs projetées dans ses dessins.

Un jour où je suis de garde, on m'annonce que Luc s'est pendu dans sa chambre. L'infirmier me dit que Luc voulait me voir. On lui a répondu que j'étais occupé aux admissions. À travers son acte irréversible, il a probablement concrétisé ce qu'il ne pouvait pas exprimer autrement. De toute évidence, je n'avais pas su interpréter ni mesurer l'intensité de ses signes de souffrance!

Ce suicide a été vécu comme un cuisant échec par toute l'équipe soignante. Personnellement, je me suis senti terriblement coupable et je me suis vraiment demandé si j'étais fait pour devenir psychiatre. Plutôt que de quitter le métier, j'ai entrepris une longue psychanalyse.

2014. J'interviens en tant qu'expert à la demande des autorités pour une hospitalisation contre le gré du patient. L'infirmier m'informe que pour ma sécurité, lui et un gardien seront présents à l'entretien. J'acquiesce, puis, en présence du patient atteint d'une schizophrénie paranoïde, je m'interroge sur le bien-fondé du dispositif de sécurité. Incapable d'établir une quelconque relation avec le patient qui est manifestement sous l'influence d'une forte dose de neuroleptiques (il bave, ne peut pas parler), je demande à l'infirmier, puis à son médecin, des renseignements sur le patient. On me parle du diagnostic et du traitement. Ni l'un ni l'autre ne connaît quoi que ce soit du patient, de son histoire, de son parcours de vie.

Ma génération a peut-être péché en voulant comprendre la psychose à tout prix et en cherchant trop à humaniser la relation thérapeutique dans l'espoir de sortir les patients de leur «prison».

Hélas, j'ai eu d'autres patients qui ont terminé comme Luc au cours de ma carrière. Mais, heureusement, j'en ai eu d'autres qui, demeurant dans leur monde à eux, pouvaient vivre avec leur souffrance dans une relation plus ou moins équilibrée avec la société.

Antoine vieillit avec moi. Je l'ai connu à l'hôpital en 1985 et je le suis en ambulatoire depuis lors, presque sans médicaments. Il est extrêmement attentif au moindre changement décoratif dans mon bureau. Si une tierce personne écoutait nos entretiens, elle ne saurait probablement pas différencier le thérapeute du malade. Comment réagirait un jeune psychiatre si Antoine lui disait qu'il avait accroché le sapin de Noël à l'envers au plafond de son salon? Signe de décompensation? Hospitalisation et fortes doses de neuroleptiques?

On me dit que je suis trop critique envers la psychiatrie actuelle que j'accuse d'être trop attentive au dosage des médicaments au détriment de la relation humaine.

C'est vrai. Luc et d'autres comme lui ne me hantent plus dans mes nuits d'insomnie. Je leur suis profondément reconnaissant, car ils m'ont appris à me taire et à les écouter, le métier quoi.

Comment font les jeunes médecins psychiatres aujourd'hui? Connaissent-ils la psychopathologie telle qu'on nous l'enseignait autrefois «au pied du lit»? Ils connaissent bien le maniement des médicaments et les innombrables codes diagnostiques résumés dans un grand livre, intitulé le «DSM-5»*.

Mais connaissent-ils la vie psychique de leurs patients?

S'agit-il d'un déclin sécuritaire de la psychiatrie moderne? Simple problème générationnel? Suis-je trop vieux pour m'adapter aux nouvelles tendances?

Quoi qu'il en soit, je me sens bien lorsqu'en séance, je régresse avec mes patients et que nous naviguons ensemble dans l'irrationnel. Est-ce pour cela que je n'aime pas la relation superficielle

* DSM-5: *Diagnostic and Statistical Manual of Mental Disorders*

des mondanités et que je préfère me lever très tôt pour apprécier un lever du soleil dans le petit village de Portlligat, à côté de la maison de Salvador Dali, ou un coucher de soleil sur une terrasse à Montreux, seul ou avec ma femme avec qui je peux partager des sentiments sans toujours y mettre des mots?

Analyse d'expert

La pratique de la psychiatrie est une perpétuelle recherche d'équilibre entre la relation humaine et la distance thérapeutique. Entre les neurosciences, ce qui en découle (classification diagnostique, médication...) et la vie psychique du patient.

Entre les affects et les mots exprimés de part et d'autre.

Entre le désir d'aider, voire de sauver l'autre, et les limites de soi et de l'autre.

Cette recherche d'équilibre contribue à l'attrait et à la beauté du travail du psychiatre, qui doit rejoindre l'homme dans toutes ses dimensions.

Les Urgences

Cécile DELÉMONT, Genève/SUISSE

Ce que j'ai toujours adoré dans les urgences, c'est cette nécessité d'être prêt à toute éventualité, à l'improbable, le besoin de garder son esprit ouvert à la possibilité de tout et de n'importe quoi et ce, dans la seconde. Mais parfois, tout mentalement prêt qu'on puisse être, on se laisse surprendre et ce drôle de métier d'urgentiste vous plaque au sol d'un coup, d'un seul, sans que vous l'ayez vu venir. C'est ce qui m'est arrivé ce jour-là.

Je suis interne aux urgences. C'est la fin de la journée, ce moment où vous voyez presque arriver le terme du charivari incessant de patients, le moment où, vidée, exténuée, je peux enfin sortir du local borgne pour retrouver la lumière. Oui, mais la porte coulissante s'ouvre au bout du couloir et on dirait bien qu'une ultime consultation se profile. Coup d'œil au collègue. Toi? Moi? Qui s'y colle? Mon collègue fixe tout d'un coup un truc super important sur son écran d'ordinateur en veille. Donc, je me lève et dis:

– O.K. je prends, baroud d'honneur!

Au bout du couloir, une femme en robe d'été, soutenue par son mari. Elle crie! Soupir de mon collègue:

– C'est l'hystérique du soir, on dirait.

Je m'avance dans le couloir alors que le couple progresse lentement vers moi, la femme continuant à ponctuer chaque pas d'un cri. À quoi je pense, croyez-vous, en avançant vers eux tout en bâillant à la fin de cette journée estivale? À ne pas oublier d'acheter du pain en rentrant, au week-end prochain. Je suis déjà presque en mode «*off*». Le mari me crie soudain:

– *The baby is coming! The baby is coming!*

J'émerge un peu de ma torpeur, incrédule. Rapide coup d'œil à la femme qui est plutôt mince bien que la robe soit ample. Je m'interroge: Quel *baby*? J'avance encore vers eux. Ils ne sont plus qu'à deux mètres de moi. Je commence ma phrase:

– *What baby?*

Et là, chlabadam! Un bébé tombe entre les jambes de la dame toujours debout devant moi, dans une mare de sang qui éclabousse les murs. L'impact du bébé sur le sol, les cris venant de toutes parts, le mari qui assoit sa femme par terre et moi, totalement interdite, les bras ballants, exactement comme le gars dans la pub pour «Fisherman's friend®» quand il reçoit un bon coup de thon dans la gueule!

Me revient aussi en mémoire cette autre patiente qui, ayant entrouvert la porte de son box, entend les cris et voit le sang partout dans le couloir. Totalement paniquée, elle s'enfuit tout simplement en courant. Il ne s'est peut-être passé que 30 secondes avant que je me ressaisisse, ramasse délicatement le bébé, m'occupe du cordon et distille une trentaine de demandes à l'infirmière, mais sur le coup, j'ai été bien «scotchée»!

Pour la mère et le bébé, tout s'est bien terminé. Les deux époux sont revenus quelques jours plus tard prendre des photos du «lieu de naissance» et nous offrir une bouteille de bulles. Le soir même, j'ai aussi rappelé la patiente qui s'était enfuie pour la rassurer et lui dire qu'on n'avait tué personne dans le couloir, même si les murs et le sol ressemblaient au décor de «Shining», et qu'elle pouvait revenir pour la fin de sa consultation si elle le souhaitait...

Je me suis quand même toujours demandée pourquoi cette femme enceinte ne portait pas une petite culotte (qui aurait quand même amorti la chute!) et pourquoi diable on ne l'avait pas allongée sur un brancard à l'admission plutôt que de lui dire:

– Allez-y à pied ma p'tite dame, 3ème porte à gauche!

Encore aux urgences, bien sûr, on a l'opportunité de faire face à des situations engendrant des sensations très fortes: on voit mourir des patients jeunes, on est confronté de plein fouet à la cruauté de la vie, aux parcours de vie chaotiques, à l'injustice. Alors on met une petite distance de sécurité entre les patients et nous, en particulier ceux qui nous ressemblent, ceux à qui on pourrait clairement s'identifier, pour ne pas verser dans le sentimentalisme et garder la tête froide. Oui, mais parfois, ça saisit quand même. On baisse la garde, on se dit qu'une p'tite vieille qui ne va pas s'en sortir, ce n'est pas un drame. Ça tombe même un peu sous le sens, mais, tout d'un coup, on est rattrapé par l'intensité du moment, par l'humanité simplement...

Un autre jour aux urgences, c'est plutôt en début de journée, je suis fraîche comme un gardon, on m'annonce l'arrivée d'une grand-mère d'un âge très respectable transférée d'un home en raison de douleurs thoraciques.

C'est une dame âgée, mais plutôt tonique, qui m'explique rapidement qu'elle a dû batailler ferme avec le foyer pour que les responsables acceptent de la transférer aux urgences alors qu'ils voulaient la laisser mourir là-bas. Mais elle, elle ne voulait pas mourir et elle avait bien compris qu'il lui arrivait un truc grave. Je partage son sentiment: ça m'a tout l'air d'un infarctus. Elle me dit qu'elle est tellement contente d'être là et heureuse qu'on s'occupe d'elle. Je dodeline de la tête. Le cardiologue que j'appelle se tâte, il ergote, hésite, me demande un bilan sanguin pour temporiser puis une échographie et attend l'avis de son chef. Bref, les heures passent, l'état de la dame se détériore, je dois introduire un tas de médicaments pour soutenir son cœur, je rappelle le cardiologue qui hésite toujours et finalement me dit que, ben oui, on aurait dû aller en salle de cathétérisme, mais bon, que là, l'état de la dame ne le permet plus.

Je fulmine!

J'ai le sentiment qu'on a juste pataugé au lieu d'agir, mais je me rends à l'évidence: maintenant, c'est effectivement trop tard pour tenter un geste invasif. La fille de la patiente arrive et nous voilà avec le cardiologue à lui expliquer que sa mère fait un infarctus, que le cœur est en train de lâcher et qu'on ne va rien pouvoir faire. Elle accuse le coup, pleure un peu, nous dit qu'elle comprend, mais que c'est dur. Elle a elle-même déjà une soixantaine d'années à vue d'œil, mais on reste la fille de sa mère toute sa vie quand même! Elle est triste et nous demande comment ça va se passer maintenant. On lui explique qu'on va arrêter progressivement les médicaments qui soutiennent le cœur de sa mère et lui donner d'autres médicaments pour traiter la douleur et l'accompagner avec des soins de confort. Elle pleure encore.

Jusque-là, ça va. Je me sens dans mon rôle, j'ai mis ma petite carapace de survie pour cet entretien avec la fille et ça fonctionne.

Puis on entre dans le box de la patiente avec sa fille et là, la fille s'approche de sa mère et lui dit alors sur un ton joyeux:

– Ma p'tite maman, tout va bien, les médecins m'ont bien rassurée, ils vont te donner tout ce qu'il faut, ça va aller très bien…

Et la patiente de s'illuminer:

– C'est vrai? Oh! Comme je suis contente! Si tu savais!

Et là, d'un coup, l'émotion me submerge, littéralement. Je suis soufflée par le courage de cette fille qui prend sur elle pour rassurer sa mère, pour lui apporter, là, le réconfort dont elle a besoin alors qu'elle-même vient d'encaisser une terrible nouvelle. Quelle magnifique leçon de vie! C'est la roue qui tourne et l'enfant qui devient le protecteur de sa mère, l'enfant qui range ses propres émotions pour soulager celles de sa mère. La scène est si saisissante de beauté que j'en perds mes moyens. Même des années plus tard, en l'écrivant, les larmes me montent à nouveau aux yeux.

J'ai quitté humblement le box, les larmes coulaient sur mes joues. Je suis allée prendre l'air un moment. J'ai croisé une infirmière:

– C'est quand même pas la grand-mère du box B qui te fait pleurer, non?

Ben figures-toi…

Pour la petite histoire, j'ai transféré la patiente en box d'isolement avec des soins de confort pour qu'elle puisse partir dignement et dans le calme.

Le lendemain matin, alors que je repasse pour voir si elle est décédée, j'ai la surprise de la trouver assise dans son lit avec un plateau de petit déjeuner et un grand sourire:

– Ah! Docteure, merci encore pour tout ce que vous avez fait pour moi hier. Je me sens tellement mieux ce matin!

On fait juste un métier merveilleux!

Analyse d'expert

Ces deux histoires sont en fait un hommage à la vie, au désir de vivre qui est souvent plus fort que tout. À la naissance comme à la fin de la vie!

La «petite distance de sécurité», cette «carapace de survie» décrite par le médecin, n'occulte jamais complètement ce que nous sommes. Heureusement que nous sommes toujours capables de communier aux étapes et aux émotions vécues par nos patients.

Le monologue

Dominik REBELL, Lausanne/SUISSE

Voici comment j'ai appris à écouter le silence.

C'est la fin de l'été. Tracassé par une toux persistante, Monsieur Antoine consulte finalement les urgences avec de la fièvre et des frissons. Une pneumonie sévère est diagnostiquée. Malgré un traitement adéquat, les germes se multiplient et se répandent dans son sang. D'autres organes sont touchés, le foie et les reins souffrent, un volumineux abcès se forme dans les poumons. L'abcès doit être drainé au bloc opératoire sous anesthésie générale. Après l'intervention, la situation se dégrade encore. Le patient est admis aux soins intensifs, service dans lequel je suis de garde ce jour-là.

Le transfert se fait avec tout le cortège habituel des moyens auxiliaires inhérents aux situations instables: ventilateur, pousse-seringues, pompes à perfusion, câblage électrique, cathéters et tuyauteries diverses. L'atmosphère est tendue, des alarmes s'affolent, des voix s'élèvent. Beaucoup de bruit, beaucoup d'agitation. Au beau milieu de ce brouhaha se trouve Monsieur Antoine qui dort paisiblement dans une bulle de tranquillité et de sérénité. Les anesthésistes ont fait du bon travail.

Lors de la visite du lendemain, la situation semble quelque peu stabilisée. Les courbes à l'écran sont devenues régulières, les alarmes se taisent, le patient respire de lui-même. Je m'approche du lit, l'infirmière me glisse à l'oreille qu'il n'a toujours pas quitté les bras de Morphée. Je lui souhaite le bonjour et me présente. Pas de réaction. Je lui demande s'il m'entend. Pas de réaction.

– MONSIEUR ANTOINE, VOUS M'ENTENDEZ?

Pas de réaction! Je le pince, le secoue, le stimule. Toujours rien. Pas un signe de retrait, pas un froncement de sourcil, rien. Devant moi gît un corps inanimé avec comme seule preuve de vie des courbes stériles défilant à l'écran. Peut-on dire que cet homme est vivant? Le médecin en moi dit oui, ma raison dit non. Mon cœur balance.

Examen neurologique, prise de sang, scanner. Beaucoup d'hypothèses, mais une seule certitude: ce sommeil si imperturbable est un coma. Cela défie une règle médicale fondamentale qui stipule que la communication avec le patient est la pierre angulaire de tout succès thérapeutique. Parler à Monsieur Antoine, est-ce bien sensé? Va-t-il m'entendre, me comprendre? Dois-je lui demander sa permission avant de lui faire une injection, avant de le déshabiller pour l'examiner? J'hésite. Finalement je lui adresse quelques mots, brièvement. Une sensation de mal-être m'envahit. J'ai perdu mon assurance, je me sens vulnérable. Malgré moi j'ai déposé mon armure qui me protège des flèches sentimentales qu'on me tire dessus à l'hôpital. Celle-ci m'a touché droit au cœur.

Les jours passent, la routine s'installe. Un jour, l'infirmière m'appelle:

– Il a bougé!

Un fugace grimacement nous redonne espoir. Patiemment, on regarde son visage. On s'imagine déjà qu'il va ouvrir la bouche et nous parler. On attend, rien ne se passe. Toujours rien. Était-ce un effort de toux? Un réflexe? On répète tous les examens. Je me décide à lui exposer les résultats de nos nouvelles analyses, les prochaines étapes, les perspectives. Il faut trouver les bons mots pour décrire une réalité tragique en laissant toutefois planer un certain espoir. J'ai l'impression qu'il a compris mon monologue, enfin c'est ce que je m'invite à croire, peut-être pour me rassurer moi-même.

Je continue à lui parler. Au fils de mes sermons quotidiens, j'ai fini par vaincre mon appréhension. Je me surprends même à glisser quelques blagues dans mon discours monotone. On commence à bien s'entendre. Une relation asymétrique, certes, mais je ressens qu'une sorte d'intimité se développe entre nous. Cette dernière atteint son paroxysme à chaque fois que je le regarde dans les yeux pendant de longues minutes dans l'espoir qu'il me reconnaisse. Peut-être que jamais personne auparavant ne l'avait regardé avec autant d'attention. Hélas, je n'ai jamais pu documenter davantage qu'une constriction passive de ses pupilles à la lumière de ma lampe de poche.

Je m'imagine à sa place. Tout se passe autour de soi sans que l'on puisse interagir, exposé au bon vouloir du monde, entièrement dépendant, et dans l'impossibilité d'exprimer son ras-le-bol, de dire qu'on en a marre de ces discours rédhibitoires interminables!

Je lui souhaite un miracle: qu'il se lève, qu'il marche, qu'il crie sa colère et sa douleur! Mais son corps reste inerte. Mes pensées s'arrêtent et un silence insoutenable envahit à nouveau l'espace.

Le temps qui passe ne fait qu'augmenter les incertitudes. On se sent incapable, on s'accroche à l'infime espoir qui reste. Tout le monde souhaite un dénouement final à cette situation extrême: qu'il vive «pour de vrai» ou qu'il meure «pour de bon». La pression monte, notre impuissance prend le dessus.

Monsieur Antoine nous a entendu, il est parti en silence.

Analyse d'expert

En l'absence de communication, difficile de ne pas se projeter à la place de l'autre, de ne pas imaginer pour lui ce que doit être devenue sa vie et parfois, lorsque celle-ci nous semble ne plus avoir de sens ou être dépourvue de tout contrôle.

Souhaiter intérieurement que cela s'arrête. Que la souffrance cesse. Cela est d'autant plus vrai quand la vie de l'autre est tout à l'opposé de celle du médecin, un être actif, dynamique, en contrôle.

Partir, c'est mourir un peu

François PILET, Vouvry/SUISSE

Comment vais-je lui annoncer la nouvelle? Adèle Durant vient me voir presque tous les mois depuis vingt ans! Elle m'a déjà confié tant de soucis, de joies et surtout tant de peines: la mort de son mari, les deux divorces de sa fille, sa petite-fille anorexique, son petit-fils qui file(et fume) du mauvais coton; et l'accident du beau-fils, le décès tragique du beau-frère, et cette sœur gravement malade qui n'en finit pas de mourir… et parmi tous ces mots, tous ces maux aussi, ces vertiges, ces douleurs, ces insomnies, et ce souffle de plus en plus court, et ces rhumatismes, ces terribles démangeaisons, ces migraines, ce colon, bref, ce corps qui ne semble là que pour dire des souffrances. Que d'heures passées à écouter Adèle, à l'examiner, la réexaminer, à s'ingénier à trouver une idée qui pourrait la soulager, lui redonner un peu d'espoir!

Comment vais-je lui annoncer que je pars au Québec pour sept mois, que je prends un temps sabbatique, que je décroche quelque temps, qu'elle ne pourra plus me téléphoner, que je ne serai pas là si elle va plus mal? Comment le lui dire sans qu'elle s'effondre à tout jamais?

J'ai mis une annonce voilà un mois dans la salle d'attente, mais elle voit très mal et ne lit plus. Allez courage! Il ne reste plus que deux mois jusqu'à mon départ, il faut que je le lui dise aujourd'hui… Je la fais entrer. Avant que je n'aie eu le temps d'entamer la conversation, elle se laisse tomber sur le fauteuil, visiblement troublée, et m'annonce:

– Docteur, je suis mal ce matin: j'ai fait un épouvantable cauchemar cette nuit…j'ose à peine vous dire …: j'ai rêvé que vous nous quittiez, que je devais trouver un autre médecin! Vous vous rendez compte? Vous ne nous ferez jamais ça, n'est-ce pas, Docteur!

Cette histoire est absolument authentique (à part le nom, bien sûr), et s'est passée au début de l'été, parmi de nombreuses consultations où j'ai dû annoncer, en luttant contre ma culpabilité, que j'abandonnais mes patients quelques mois. J'ai eu plus d'une fois la véritable impression d'assister à mon propre enterrement, tellement l'ambiance de deuil était lourde, tellement certaines vieilles dames pleuraient et me disaient un adieu, pour elles définitif et sans espoir.

C'est alors que j'ai goûté au sens du proverbe «Partir, c'est mourir un peu»! Je savais que ce serait difficile, mais je n'avais pas imaginé les proportions du drame, pas songé à quel point je faisais partie du paysage mental de centaines de personnes. Même celles et ceux qui ne viennent pas souvent en consultation s'angoissent à l'idée que je serai vraiment loin, pas joignable pendant des semaines... et s'il leur arrivait quelque chose! Je suis certain qu'ils ne doutent pas des compétences de ma remplaçante ni de celle de mes confrères et je ne crois pas non plus qu'ils m'attribuent des pouvoirs magiques; mais qu'il leur arrive un mal ou un malheur et que je n'en sois pas témoin, que je ne puisse le partager avec eux ou avec leur famille, cette idée leur est intolérable.

Dépendance... et co-dépendance quand tu nous tiens! Il était temps de faire un sevrage: sept mois de rupture, de décalage, de réflexion, de recul, sept mois pour méditer... en particulier sur mon rôle de médecin de famille. Et c'est alors que me revient à l'esprit l'article de ces confrères psychiatres, dans le Courrier du Médecin Vaudois (repris par son homologue valaisan), dans lequel ces spécialistes définissaient les médecins généralistes par le qualificatif de «somaticien»! [1]

[1] Vers une intégration de l'accueil des urgences psychiatriques à l'hôpital général. Drs D. Peter, A. Berney et R. Gammeter. Courrier du médecin vaudois.

Publication with permission from EMH Swiss Medical Publishers Ltd:
François Pilet. Partir, c'est mourir un peu. PrimaryCare 2002;2:599 - www.primary-care.ch

Analyse d'expert

Le lien médecin-patient, pour peu qu'il y ait de la continuité des soins, est très fort, et ce, dans les deux sens. Bien sûr, le patient compte sur son médecin en cas de problème et ce dernier se sent responsable d'être là pour ses patients. Mais au-delà de ces aspects formels, professionnels, s'ajoutent des réactions de transfert (réaction émotionnelle inconsciente du patient envers son médecin, liée à des aspects relationnels de sa vie personnelle antérieure et actuelle) et de contretransfert (réaction émotionnelle inconsciente du médecin en lien avec le transfert du patient) qui peuvent intensifier les liens.

Le plus souvent, les médecins réagissent au sentiment d'insécurité de leurs patients en adoptant une attitude (sur)protectrice. Cela peut se compliquer si le médecin doit s'absenter. Le médecin peut ne pas trop savoir comment annoncer son absence, en retarder l'annonce de crainte des réactions, s'inquiéter de ce qu'il adviendra d'eux en son absence même si un autre médecin compétent en prendra charge.

Dépendance et co-dépendance? Non. Plutôt humanité!

Le voleur de morts

François LeBlanc, Québec/CANADA

Vous savez, à une époque pas si lointaine, les médecins n'étaient formés qu'à sauver des vies. Bien entendu, on ne réussissait pas toujours. On a donc dû apprendre, de gré ou de force, que la mort n'était pas toujours perçue par les patients et les familles comme un échec du médecin. Une mort pouvait être réussie! «La mort a été une délivrance pour lui!», «Quelle belle mort il a eu, Docteur, merci!».

Comme médecin diligent et responsable, on se doit d'échanger avec les patients et souvent aussi avec leurs familles sur le sujet de la mort et sur leurs attentes à cet égard. Mais c'est une chose d'en discuter en famille entre autres sujets, lors d'une belle soirée d'été, devant un bon verre de vin rouge. C'en est une autre de devoir en discuter en situation de crise.

Certes, un bon médecin sauve les vies qui doivent être sauvées et offre une mort digne et confortable à ceux dont l'heure est venue. Plus facile à dire qu'à faire.

Ce dimanche soir, une dame de 89 ans, hospitalisée à l'unité coronarienne pour de l'angine de poitrine depuis quatre jours, développe une détresse respiratoire qui évolue vers une somnolence préterminale. Il semble qu'elle souffre d'une pneumonie. Elle manque d'air depuis plusieurs heures déjà, malgré les antibiotiques. À son chevet, sa famille demande qu'elle soit réévaluée. On fait un électrocardiogramme, une radiographie des poumons, des prises de sang. Un résident passe la voir et on refait un électrocardiogramme et on refait des prises de sang. Elle ne s'éveille plus et respire rapidement, mais superficiellement. Sa famille est en détresse. Elle aussi! Hormis les examens, rien ne se passe, rien n'y fait. Elle est en train de mourir. On requiert mes services comme médecin des soins intensifs.

Prenant connaissance du dossier, il m'apparaît que nous sommes devant un choix entre deux options thérapeutiques: le passage aux soins de confort avec arrêt de tout traitement ou le recours à un traitement à but curatif, impliquant la pose d'un tube à travers la bouche dans la trachée et le branchement à un respirateur artificiel.

Pour les soins de confort, un décès sera certainement la conclusion de cette histoire. La famille pourra rester au chevet de Madame, en tout temps, pour l'accompagner dans son dernier voyage. Ce sera triste, mais elle ne sera pas seule. C'est d'ailleurs une famille formidable, aimante, et tout et tout.

Par contre, si on la branche sur un respirateur, ce pourrait bien sûr n'être que pour une courte période. Malheureusement, cette courte période est d'une durée indéterminée et peut se prolonger. De plus, il faudra poser un gros cathéter de 15 centimètres de long dans son cou, une «voie centrale» comme on dit dans le jargon. Il y aura aussi une sonde passant à travers le nez jusque dans l'estomac et, j'oubliais, une petite sonde aussi dans la vessie. La patiente risque d'enfler beaucoup dans les 48 prochaines heures. Elle pourra survivre encore quelques temps.....qui sait, même des années. Elle retournera peut-être à domicile dans quelques semaines ou quelques mois. À moins de mort subite, on se retrouvera tôt ou tard dans la même situation et confronté à l'obligation de choisir entre les deux mêmes options thérapeutiques.

La famille a besoin de temps. Il faut consulter oncle Jacques et tante Marie. On ne peut pas laisser mourir Maman comme ça, sans un combat.

Bien sûr, j'ai demandé à la famille ce que leur mère aurait souhaité si elle était apte à donner son opinion. Ils ne savent pas. La fameuse question m'est retournée:

– Et, vous, si c'était votre mère, que feriez-vous?

Le pragmatique que je suis répond avec le plus d'empathie possible dans les circonstances:

– Ce n'est pas ma mère...

Une décision doit être prise maintenant!

Considérant leur grande hésitation et, basant ma conduite sur le principe sacré de la vie, je recommande de procéder à l'aide d'un respirateur artificiel pour soulager la patiente et gagner un peu de temps. La famille a donné son accord. Elle souhaite que tout soit fait pour la maintenir en vie en attendant l'avis d'oncle Jacques et de tante Marie.

Après l'intubation, la mise en place de tous les trucs et drains nécessaires à son état (ce qui exige plusieurs heures), je permets à la famille de passer un peu de temps avec la patiente. Que de pleurs! Que de souffrances! De voir Maman branchée de cette façon est tout simplement horrible pour eux. Oncle Jacques et tante Marie seront là demain. Hésitante, triste et désemparée, la famille me demande:

- Peut-on les attendre pour décider si on débranche ou si on continue?
- Bien sûr,

répond le médecin empathique que je croyais être.

Notre patiente étant sous sédation, la famille s'absente quelques heures pour se reposer. Selon les standards actuels, il ne faut pas qu'elle «dorme» trop si nous voulons la libérer rapidement du ventilateur artificiel.

Elle s'éveille, inconfortable par moments et «trop confortable» à d'autres. Pas facile de maintenir un confort idéal et des chances de survie parfaites!

La famille est au chevet le lendemain matin. Oncle Jacques et tante Marie nous demandent de faire tout ce que nous pouvons, mais sans acharnement: elle ne l'aurait pas souhaité. De plus, on demande qu'avant tout, elle soit confortable. Encore une fois, plus facile à dire qu'à faire! Après une longue discussion avec la famille, il devient clair à leurs yeux que notre patiente aurait aimé une «belle mort». C'est quand-même drôle, comme si la mort pouvait être belle! Je ne connais aucune belle mort... ou me trompais-je? Il y a des morts plus ou moins douloureuses, plus ou moins rapides, plus ou moins tragiques. Mais belles?

Revenons à notre patiente de 89 ans. Elle aimait tant la vie! On décide donc de poursuivre les soins encore quelques jours. Après cette période d'inconfort et de peur pour la famille et la patiente, il est décidé de la libérer du respirateur. Très rapidement après l'extubation, elle présente encore de l'essoufflement de repos. Elle est mise en soins de confort et décède, entourée de sa famille.

Qu'avons-nous fait? Quand je dis «nous», je veux dire la famille et moi, le médecin. En bout de ligne, notre patiente aurait pu décéder paisiblement et naturellement de sa pneumonie sévère. Nous lui avons volé sa «belle mort». Nous avons tout simplement prolongé l'agonie, peut-être parce qu'il n'était pas assez évident que la mort était devant la porte à cet instant. Il ne fallait pas discuter seulement du comment on pouvait la faire vivre, mais surtout peut-être du comment elle souhaitait mourir. Nous pouvions lui offrir une «belle mort» ou une longue agonie.

La famille semblait satisfaite. De mon côté, je ne sais toujours pas si j'ai bien agi ou non. Lorsqu'on pratique la médecine, on espère que la somme des bons coups dépasse celle des mauvais. Parmi les nombreux rôles indissociablement liés au travail du médecin intensiviste que je suis (le réanimateur, le dispensateur de soins palliatifs, le communicateur, le gestionnaire de crise), celui de «voleur de mort» est celui qui vient le plus me toucher, jusque dans les derniers retranchements de mon âme.

Analyse d'expert

Apprivoiser la mort de nos patients, apprivoiser sa propre mort. Particulièrement difficile quand on travaille en soins critiques, où tout est habituellement tenté pour sauver des vies! Doute, ambivalence, choix angoissants, comment savoir si l'on prend les bonnes décisions? Trouver appui dans la communication avec les familles, à défaut de communiquer avec le patient lui-même, voilà un atout précieux, tant pour le médecin que pour les proches.

Des victimes méconnues du tabac

Bernard LEBEAU, Paris/FRANCE

Ils étaient trois frères nés tous les deux ans de parents universitaires brillants. Le père fumait beaucoup et la mère presque plus, depuis ses grossesses, mais tout autant que lui de 16 à 24 ans.

Dix mille morts quotidiennes sont dues à la cigarette chaque jour dans le monde....oui, plus que lors de ce seul jour des tours de Manhattan dont on a tant parlé et dont on parle encore! Par contre, silence-radio pour les millions de morts annuelles prématurées liées à l'intoxication tabagique. Un petit pourcentage de ces décès est à rattacher aux accidents de la route car l'oxyde de carbone inhalé par le fumeur diminue sa vigilance et ses performances intellectuelles, notamment lorsqu'il conduit.

La mort à 30 ans du père de ces trois frères, par accident de moto, était donc déjà partiellement imputable au tabac. Courageusement, la mère a assumé. Mais ses charges familiales et le poids du deuil ont provoqué une augmentation majeure de son intoxication tabagique, passant vite à deux paquets par jour. Le tabac est, hélas, un bon anxiolytique. L'angoisse de cette femme était majorée par le handicap psychomoteur congénital majeur dont souffrait le benjamin. Ce dernier, placé pensionnaire en institution spécialisée toutes les semaines passait ses week-ends en famille avec elle et les deux aînés, eux apparemment aussi doués pour les études que leurs parents. Ce rythme hebdomadaire avait été maintenu malgré le décès du père.

Les années ont passé et cette mère-courage a su préserver la douceur du foyer. Catastrophe! À moins de cinquante ans, elle est atteinte d'un cancer du poumon, hélas inopérable et en meurt en quelques mois. Triste sort de 80 % de ces patients encore actuellement. Elle ne souffre plus mais que vont devenir ses garçons de 21, 19 et 17 ans? Aussitôt après le décès, les deux aînés, étudiants pleins d'avenir, sont dans mon bureau et, tristes mais rationnels, me demandent:

– Qu'allons-nous faire de notre petit frère? Nous l'aimons beaucoup mais avec nos études, aller le chercher le week-end va être difficile!

J'essaye de raisonner en père pour les disculper:

– C'est évident! Vous ne devez pas vous sacrifier pour lui. De toute façon, sous peu, vous vous marierez, vous aurez des enfants. Vous ne pourrez pas leur imposer cette charge. Cela va être très dur pour lui, mais il n'y a pas d'autre solution que de le laisser en permanence là-bas. Vous irez le voir autant que vous le pourrez.

Ils en convinrent, non sans larmes.

Le piège du tabac attire dans son filet des victimes piégées que trop de gens ignorent mais il noie aussi en océans de larmes leurs proches restés vivants.

Analyse d'expert

Comme médecin, il est parfois difficile d'accepter ou de ne pas porter de jugement sur les habitudes de vie de nos patients, surtout quand cela provoque des problèmes de santé importants. Cela est plus difficile encore lorsque de telles habitudes ont des conséquences sur leur entourage, des enfants en particulier.

Il faut donc se rappeler que notre rôle est de soutenir ces personnes dans le traitement de leur condition (dépendance, en l'occurrence) et accepter que l'évolution de leur état et de ses conséquences ne soit pas sous notre entier contrôle.

La voix – la voie!

Daphne MARUSSI, Sherbrooke/CANADA

C'est l'ombre d'une petite fille qui répond à mon appel à la salle à manger de notre département de psychiatrie. Elle m'accompagne, tête baissée, cachée sous une boule de cheveux décoiffés.

Elle marche très lentement comme si elle supportait tout le poids du monde sur ses épaules.

Elle est majeure, mais, ce matin, dans cette salle d'entrevue, je n'ai devant moi qu'une enfant apeurée. Une autre petite enfant qui n'a pas eu les outils pour combattre les difficultés de la vie, comme j'en vois des dizaines chaque année. Je vous avoue, toutes ces filles, souffrant de troubles alimentaires, sont aussi un peu mes propres filles, du moins pendant le temps que je les soigne. Elles sont si vulnérables et fragiles! Pendant leur hospitalisation, sous mes ailes, je veux qu'elles trouvent enfin quelqu'un qui les protège d'autrui et d'elles-mêmes, tout en leur apprenant que vivre peut être une merveilleuse aventure.

Il y a quand même quelques patientes qui nous marquent et nous touchent davantage et ce, dès la première rencontre. Ce fut le cas de Jacy. Quoi vous dire à son sujet si ce n'est que son histoire en était une de violence et de négligence qu'elle s'est infligée pendant plusieurs années, tout cela caché derrière une fausse image de perfection extérieure? La violence qui fait le plus de mal, c'est celle qui est subie dans le silence et le secret. Et ce, malgré son entourage familial aussi soutenant qu'impuissant.

Nous avions beaucoup de travail à faire ensemble et ce travail était bien plus profond que de seulement la convaincre de la nécessité de se nourrir. Je devais la prendre par la main et tranquillement, à chaque jour, lui montrer qu'elle pouvait encore faire confiance à quelqu'un qui était prête à l'écouter sans jugement et à la conforter dans ce processus douloureux et délicieux à la fois qui lui permettrait de devenir enfin une femme.

Jacy a osé s'exprimer à travers la poésie qu'elle maîtrisait si bien. Tant de beauté et de talent cachés dans une ombre de corps affaibli par la famine qu'elle s'auto-infligeait! Au fur et à mesure que l'encre coulait sur ses cahiers, on voyait l'ombre s'évanouir et la silhouette d'une jeune femme apparaître discrètement. Apprendre que notre corps nous appartient et qu'il nous est sacré. C'est une leçon difficile pour quelqu'un qui n'a jamais su s'aimer et qui a peur de ne pas être aimée.

Doucement, Jacy a compris cela à travers la poésie, l'amour pour soi, beaucoup de confiance aussi. Mais elle n'avait pas encore de voix! Parler de soi, assumer ses désirs, savoir dire «NON», sortir d'un corps affamé et faible pour être écoutée dans sa force de femme constituaient toujours une insurmontable difficulté.

Un jour cependant, je découvre que cette voix cachée qui a tant de choses à dire est la voix d'un ange. Et si cet ange ne pouvait pas encore parler, bon, il devrait chanter. Pour partager ses émotions et faciliter sa communication, elle a chanté devant les patients, les infirmières et les médecins. Tous se sont arrêtés pour écouter cette voix qui touchait même l'âme la plus dure.

Depuis ce temps, Jacy n'a eu de cesse de casser sa coquille de peur et de honte. Le pouvoir de son talent, de sa voix, l'a finalement transformée.

Quelques mois plus tard, la fille décoiffée, malade, triste et apeurée chantait devant tout le Québec dans une émission qui a pour titre: «La Voix»! Je suis assise devant la télévision avec mon mari, ma fille de six ans et ma jeune résidente qui a travaillé aussi fort que moi pour Jacy. Elle remplit l'écran avec sa beauté et son talent et chante «Ave Maria» avec une douceur que je n'ai jamais entendue. Une interprète magique!

Cette femme à la voix d'ange a su grimper chaque échelon dans ce cruel monde compétitif et implacable du «showbiz». Dans ce moment de gloire pour Jacy, je me suis fermé les yeux, prise d'un intense et profond sentiment de bonheur. Malgré les échecs, les pertes et les frustrations souvent présentes dans mon travail, je pouvais faire une différence dans la vie des femmes qui croisent mon chemin!

Ave Maria!

Analyse d'expert

Toujours difficile de soigner des patientes avec des troubles alimentaires. Elles évoquent facilement la fragilité, suscitant un grand désir de les aider, mais elles montrent souvent par ailleurs des modes de réaction et de pensée rigides que notre approche rationnelle ne parvient pas à infléchir. On a le sentiment que le cerveau dénutri contribue à la condition de la personne, mais pas moyen de les faire s'alimenter! La médication n'est pas la solution. La création d'une alliance thérapeutique et la psychothérapie, en plus d'une approche interdisciplinaire, offrent heureusement des perspectives d'amélioration. La faible estime de soi et le besoin de contrôler (son image corporelle au premier plan) sont deux aspects qui doivent être spécifiquement ciblés. Quelle chance quand une personne peut identifier un domaine dans lequel elle peut s'exprimer et se réaliser!

Non seulement cela donne-t- il un but, mais cela contribue à la guérison.

Pour les médecins psychiatres travaillant auprès des patients avec un trouble alimentaire, la satisfaction de voir une belle évolution comme dans ce cas-ci, doit être très grande, à la mesure de l'investissement qui a été fait.

Petit mot de l'éditeur:

Quelques mois plus tard, le monde entier peut communiquer avec Jacy à travers sa musique. Son premier album «**Pour ma liberté**» témoigne d'une force d'interprétation hors repère. Jacy est devenue une chanteuse qui m'a profondément touchée à travers sa voix, mais surtout à travers sa voie.

Philippe Furger

La durée de vie de l'adrénaline

Roland SOLDNER, Lyon/FRANCE

La jeunesse rend les certitudes inébranlables, mais en tant que médecin du SAMU* on veut sauver le monde...voire même l'univers!

Il fait chaud, c'est l'été. Un accident s'est produit et on roule vite, vitres baissées. On ne rêve pas de sirènes à l'américaine, on ne rêve pas non plus aux sirènes allemandes tremblotantes des séries télévisées verdâtres. Par contre, on est fier de notre «deux-tons» français. Ainsi, on est parti pour sauver des vies, une mission divine.

On est gonflés à l'hélium. Rien ne peut nous résister et rien ne peut nous altérer. Le serpent de la circulation s'écarte devant nous. Ses vertèbres, les autres usagers banals, non prioritaires, se disloquent à notre approche. L'ambulancière à côté de moi, l'infirmière derrière, je sais que l'on va faire du bon travail. La ville recule dans notre dos, la campagne défile. La route devient droite et se tend comme un doigt vers nos destinées brillantes. Nos caisses de matériel médical nous suivent de près dans le coffre. Tout va bien se passer! Les pointillés qui jouxtent la ligne continue ressemblent à la couture d'un gant de cuir, bien droite, dans l'axe de l'index. Le soleil brille fort, mais on distingue quelques lumignons bleus sur un fond noir en travers du doigt. La bouche devient immédiatement sableuse et collante, signe peut-être d'un petit moment de doute au fond de notre inconscient, doute au sein de nos certitudes. Mais tout médecin connaît la durée de vie de l'adrénaline: **trois minutes**.

Nous sommes au bout de l'index: c'est LÀ! Chacun connaît son rôle: sauter de la voiture, prendre les caisses, analyse circulaire photographique au 1/5000ème, petite musique du secouriste-pompier faisant sa relève. Synthèse: 35 tonnes, pneu avant, ligne

---

* Service d'aide médicale d'urgence

droite, moto, massage cardiaque, sang, casque, agitation, thorax d'un jeune homme. On sort «le grand service du dimanche». Le soleil brille. On se jette à genoux comme implorant une force supérieure de nous aider quand même un peu. L'infirmière pique une et deux fois comme la guêpe excitée. L'ambulancière prépare les perfusions et fixe les monitorages. Le médecin examine, fait enlever le heaume du chevalier aux cent chevaux. Examen rapide, synthèse: arrêt cardiaque, pneumothorax, fracture du crâne, fracture du bassin. Le grand service se confirme. Le soleil brille, se reflète sur sa chevelure blonde et rase.

Ce visage zébré de sang, ce front, ces sourcils, ces lèvres: nouvelle rasade d'adrénaline pour gagner trois autres minutes de survie.

C'est notre médecin interne de cardiologie!
Intubation, drainages thoraciques, remplissage, on va t'aider mon gars. On va te ramener à bord, c'est certain! D'ailleurs, je suis en bonne position, toujours face à Dieu, on trinque à l'adrénaline en perfusion. Drainage gastrique, massage cardiaque... le soleil brille... .on continue. On est dans la galaxie que nous nommons «la réa». Le temps se déforme, s'étend, comme le tracé de l'enregistrement des battements du cœur. Le sablier se vide comme les artères que l'on n'arrive pas à remplir.

L'épuisement gagne du terrain. On détricote le lacis des tuyaux et des tubulures méticuleusement posés sur ce frêle corps pour tenter de le maintenir amarré au quai de la vie. Le courant est plus fort, il faut céder...

Il est l'heure de satisfaire à l'épilogue douloureux du temps judiciaire. Les gendarmes, en échange de quelques tubes de sang dilué, nous indiquent l'identité de notre ami.... Sosie. Sosie! L'émotion et le sang avaient troublé la lecture de ce visage angélique du médecin interne connu! Ce n'était finalement qu'un sosie. On pensait surfer ce jour avec le soleil, mais là, depuis cette révélation, la planche est instable. Notre motard connu devient brutalement inconnu. De la joie monte, mais c'est terrible! On n'en a pas le droit, quelle horreur! Les sentiments contradictoires sont comme la glycine qui déforme la ferraille de la certitude. La lumière devient pesante, très pesante. Les yeux des secouristes, des hommes de lois, des témoins qui auraient dû n'être que jouvence, suivant les plans bien établis par nos certitudes, ne sont que des trous noirs.

Donnez-moi cette housse mortuaire que vous apportez pour notre jeune ami inconnu: je la veux pour moi!

Les mots ne sortent pas. Le jeune homme de vingt-cinq ans s'échappe de notre vue dans un bruit de zip interminable, comme son dernier cri dans cette journée mal ensoleillée. Le silence tombe, lourd. Les roues du brancard roulent dans les gravillons. Une sorte de procession automatique s'est organisée derrière et s'immobilise loin de la vue des charognards de la route.

Mon stylo à bille roule mécaniquement sur le papier dit «bleu» et sur ceux qui accompagneront les deux reliques scellées jusqu'au laboratoire.

Tout est calme. Chacune des âmes présentes doit certainement rentrer en elle-même, se recueillir, se torturer à l'idée que ce pourrait être un des siens. Lutter contre les idées mauvaises à l'encontre du chauffeur du camion qui n'aura pas vu le bolide arrivant peut-être trop vite ou mal éclairé. Ce chauffeur n'aura peut-être finalement qu'une simple amende au tribunal et l'âme noircie. Amertume.

Il y a une sorte de flottement général. Même le soleil paraît fatigué de cette journée. De loin on entend une voix crier:

– Mon bébé, mon bébé, mon bébé, mon bébé, mon bébé, mon bébé, mon bébé, MON BÉBÉ, MON BÉBÉ, **MON BÉBÉ**!

Hurlements solitaires, se voulant térébrants comme pour prolonger la vie, force vibrante de la vague déferlant à la marée montante, insoutenable, paralysante. Toutes les paires d'yeux se cherchent et s'évitent en même temps.

J'imagine, de l'autre côté du camion de terre, cette mère arrivant de son domicile proche qui attendait son «petit», son bébé, pour cette après-midi ensoleillée. Les tôles déchirées de son âme continuent de crisser de plus en plus fort, sur cette ligne droite qui nous rejoint. Cette femme secouée en bord de route, la vue troublée par les larmes, cahotant de nid de poule en nid de poule comme dans les creux de la laine tricotée, route encore droite au-delà du camion, route inversée, tel le doigt tendu d'un gant de laine vers sa destinée. Son bébé est là…

Dix-huit années se sont écoulées. Je me suis toujours souvenu que, quel que soit l'âge, nous étions tous l'enfant de quelqu'un. Malgré un intervalle de quinze à vingt milles interventions SAMU, je me souviens très souvent de cette triste histoire. Le soleil brille moins fort lorsqu'on m'annonce un départ pour une nouvelle mission.

Mes certitudes ont perdu de leur fermeté. Sans doute, je suis moins jeune… et j'ai le sentiment de vieillir trop vite.

Analyse d'expert

La médecine interventionniste, dont la médecine d'urgence, est souvent pratiquée par des gens qui aiment l'adrénaline et possèdent un bon contrôle émotionnel, aidés en cela par des mécanismes d'adaptation (ou de défense) comme l'isolation affective, la rationalisation. Cela donne une image de personne avec une carapace, en action continue.

La nature du travail d'urgence produit inévitablement son lot de scènes marquantes où l'émotion de l'autre les atteint, les ramène à leur propre vie. Ce rythme de vie et la nature de ce travail peuvent en effet faire vieillir plus vite!

Acharnement thérapeutique ou démission prématurée?

Henri BOUNAMEAUX, Genève/SUISSE

Il était 10h 05. Nous avions terminé la visite des six malades qui se trouvaient aux soins intensifs, au cinquième étage d'un hôpital de taille moyenne, dominant le lac de Genève. «B et B», mes deux collègues eux aussi internes de première année, on nous appelait les «trois B», quittaient la salle pour rejoindre l'ascenseur et aller prendre le café. Ils étaient précédés du «gros D», un gastro-entérologue quadragénaire, récemment arrivé dans la région et suppléant du patron, le cardiologue en vacances pour quelques jours.

Nous traversions tous la salle dite de «déchocage» lorsque la sonnerie s'enclencha annonçant l'arrivée d'une ambulance au sous-sol et l'interdiction d'emprunter l'ascenseur de droite, celui des lits. La porte s'ouvrait déjà devant deux ambulanciers poussant un brancard dont débordait un homme grand par la taille, d'une quarantaine d'années, aux tempes légèrement grisonnantes. L'équipage était suivi d'un adolescent affolé et ne s'exprimant qu'en un anglais au fort accent que nous apprendrions par la suite être de Manchester.

Tandis que les infirmiers transféraient le malade sur la table de la salle de «déchocage» et tentaient de lui insérer une voie veineuse, l'ambulancier expliquait:

– Arrêt cardiaque soudain au camping, appel du fils, transport en ambulance, en tout au moins 20 minutes d'arrêt!

La victime était inconsciente, cyanosée, les extrémités limpides, le pouls non palpable, la tension artérielle non mesurable, quelques traces rouges sur le thorax.

Nous «trois B» échangeâmes quelques brefs regards signifiant: C'est cuit. 20 minutes d'arrêt, c'est vraiment trop. Même si on le rattrapait, ce serait un légume. C'est là que le «gros D hurla»:

– On y va!

en se jetant littéralement sur la victime et en commençant un vigoureux massage cardiaque. Nous nous sommes alors relayés tous les quatre tandis que l'anesthésiste, appelé en renfort, pratiquait une intubation exemplaire. Puis un premier et un deuxième choc électrique. Le «gros D» grogna:

– Il est reparti!

Quinze minutes plus tard, le malade était poussé dans la pièce voisine pour assurer les soins.

Je m'efforçai alors d'obtenir quelques renseignements du fils, âgé de seize ans, qui m'expliqua se trouver avec son père depuis deux jours dans un camping de la région. En instance de divorce, le père avait prévu passer deux semaines avec lui, pour la première fois sur le continent. Subitement, ce matin-là, alors qu'ils repliaient la tente et s'apprêtaient à partir pour la Suisse alémanique, il avait vu son père s'effondrer à deux mètres de lui et s'arrêter de respirer. Il avait crié au secours et le gardien du camping avait aussitôt appelé une ambulance, tandis que lui pratiquait un massage cardiaque comme il l'avait appris quelques mois auparavant dans le cadre d'une préparation à l'encadrement d'un camp scolaire.

Je rendis compte de tout cela au «gros D» en lui avouant que je n'aurais jamais pensé voir cette réanimation couronnée de succès, au moins initialement, pas plus d'ailleurs que mes deux jeunes collègues.

– Moi non plus! Mais ce n'est jamais qu'après avoir essayé qu'on connaît la réponse.

En souriant il ajouta:

– J'ai travaillé à Manchester et j'ai compris ce que racontait ce gamin qui disait n'avoir pas arrêté de masser son père.

J'ai vu les traces rouges de massage sur le thorax, alors je me suis dit que nous n'avions d'autre choix que de continuer ce qu'avait commencé le fiston. Il n'aurait d'ailleurs pas compris qu'on agisse autrement.

Sacrée leçon pour les «trois B». Leçon qui m'a accompagné toute ma vie professionnelle, toute ma vie tout court, dirais-je même, et cela fait plus de 30 ans.

Dix jours plus tard, Mr. Bruce regagnait l'Angleterre en ambulance avec son fils. Il n'avait rien compris de ce qui lui était arrivé, ne se rappelait de rien, ne croyait rien de ce qu'on lui disait et s'était battu comme un beau diable pour reprendre le volant de sa voiture, une vieille Vauxhall qu'il refusait d'abandonner au camping.

Il persistait une controverse majeure dans mon esprit de médecin cartésien. D'une part, nous avions toutes les preuves scientifiques du fait que ce cher Mr. Bruce avait été victime d'un énorme infarctus du cœur (donc, la plus importante partie du muscle du cœur était morte) et qu'en cette fin des années soixante-dix, il était sans l'ombre d'un doute condamné à mort. D'autre part, nous avons eu la chance de le voir quitter notre établissement avec un sourire aussi reconnaissant que sincère, sur ses deux jambes et sans séquelle majeure.

Va comprendre! La belle science affrontait quasiment le monde de l'irréel, voire du miracle. En tout cas, nous, les «trois B» (pour le «gros D», j'en sais rien….) étions tentés de le croire. Mais aucun des protagonistes ne prétendant à la canonisation, il n'en a pas été fait état auprès des autorités ecclésiastiques.

Ce n'est jamais qu'après avoir essayé qu'on connaît la réponse, et la partie n'est vraiment perdue que lorsqu'on a tout tenté. On a tendance à reprocher aujourd'hui aux médecins leur acharnement thérapeutique. L'acharnement est sûrement condamnable, mais la démission prématurée ne l'est pas moins.

Analyse d'expert

Situation d'exception nous rappelant la pertinence d'envisager toutes les options et de juger de leur opportunité au cas par cas! Dans ce cas-ci, l'excellent sens d'observation du «Gros D» a rendu ce père à son fils. Certainement aussi sa sensibilité à la situation de ce jeune homme, ayant déjà bien assez de vivre le divorce de ses parents sans perdre son père de surcroît. Comment aurait-il compris que l'équipe médicale ne mette pas tout en oeuvre pour le sauver après les efforts héroïques que lui- même avait déployés? La communication avec les proches et la sensibilité du médecin à leur situation permet de mieux adapter les interventions thérapeutiques, dans le respect de chacun.

De l’Est à l’Ouest: retour vers l’enfer

Cédric BERNARD, Toulon/FRANCE

Mai 2004, Hôpital d'Instruction des Armées Sainte-Anne, Toulon.

C'est une jeune femme d'une quarantaine d'années, Anna, qui se présente à la consultation avec son mari. Comme toujours, la médecine commence par des relations humaines, ce fameux colloque singulier entre le patient et le médecin et la neurochirurgie n'y déroge pas.

L'interrogatoire m'apprend que cette jeune femme est issue d'un des anciens pays satellites de l'URSS* qu'elle a réussi à fuir. La vie réserve de belles surprises, et l'une d'elles lui fait rencontrer son mari, Gunther, Allemand de l'Est, qui a franchi le mur de Berlin, sous les balles, au péril de sa vie, échappant ainsi à la Stasi.

D'un roman d'espionnage du temps de la guerre froide, leur histoire se mue en romance. Trois beaux enfants naissent de cet amour, que l'Ouest a vu s'épanouir.

Mais revenons au motif de cette consultation. Depuis quelques mois, Anna présente des maux de tête de plus en plus fréquents et intenses. S'y associe un ralentissement global. Le scanner puis la résonance magnétique permettent de découvrir un volumineux méningiome olfactif. C’est une tumeur intracrânienne, le plus souvent bénigne des méninges, enveloppes du cerveau et de la moelle épinière, responsable d'un œdème sur le cerveau adjacent.

L'examen clinique est sensiblement normal. Les signes cliniques et radiologiques révèlent une hypertension intracrânienne. Compte tenu de ces signes cliniques et du très important volume de la tumeur, la seule possibilité est une exérèse chirurgicale (enlever la tumeur). J'explique à Anna et Gunther les risques d'aggravation si l'on ne fait rien car la tumeur va continuer à grossir et à comprimer le cerveau davantage. Je leur dis que la seule solution est d'opérer. Puis je détaille les risques et résultats de ce type de

* URSS: Union des républiques socialistes soviétiques

chirurgie, en précisant qu'il existe notamment un risque vital, faible, mais pas nul. Tout cela pour ce fameux consentement éclairé, preuve que le patient et sa famille ont bien compris les enjeux de la chirurgie et que même en cas de complication il n'y aura pas de regret.

Je plaisante souvent en disant à mes patients qu'il s'agit d'une chirurgie intracrânienne, pas du traitement d'un ongle incarné, pour illustrer l'échelle des risques. Anna et son mari se décident pour la chirurgie.

Nous nous retrouvons un mois plus tard, la veille de l'opération. Je passe voir Anna dans sa chambre. Elle est assise sur son lit, ses trois enfants à ses côtés, son mari debout près d'elle. Image d'Épinal** d'une famille unie et rayonnante, que j'apprécie d'autant plus que me revient en mémoire leur difficile parcours de vie et leur fuite de l'URSS et de la République démocratique allemande (RDA). Nous échangeons. Toujours des relations humaines.

07h45 le lendemain matin. Lorsque j'arrive au bloc, Anna dort. Nous l'installons en position opératoire. Les relations humaines laissent place au défi technique. Elles reprendront toute leur place et valeur après la chirurgie. Pendant l'intervention chirurgicale, il est primordial de n'être concentré que sur l'acte opératoire. Après de longues heures, en partie sous microscope, pour disséquer la tumeur au contact des vaisseaux cérébraux, l'exérèse est complète. Tout s'est bien déroulé. Le cerveau est «calme». Nous refermons la boîte crânienne, puis le scalp.

Le pansement fait, Anna arrive en salle de réveil. L'anesthésie est levée progressivement pour réveiller Anna. Le réveil est de bonne qualité dans un premier temps, puis une aggravation secondaire (agitation puis coma) oblige à rendormir Anna. Le scanner cérébral fait en urgence montre lun œdème cérébral important (œdème de reperfusion, lorsque le cerveau «comprimé», reprend sa place en gonflant) qui explique l'aggravation clinique. L'admis-

---

** Gravure à usage populaire, de style naïf, dont Épinal a été le principal centre de fabrication au XIXème siècle. Au sens figuratif: présentation naïve, simpliste d'un événement, d'un fait » (adapté selon Larousse).

sion d'Anna en réanimation pour surveillance et traitement s'impose.

Tous les soirs, j'accompagne Gunther en réanimation pour que nous lui expliquions avec mes collègues réanimateurs l'état clinique de son épouse. De nouveau, une question de relations humaines, avec, dans ce contexte, une charge émotionnelle majeure, une compassion et un sentiment d'injustice et d'inutilité. Ces sentiments atteindront leur paroxysme lorsque j'annoncerai à Gunther, huit jours plus tard, le décès d'Anna, malgré tous nos efforts de réanimation qui seront restés vains. Le destin, la fatalité ont foudroyé Anna et sa famille.

Du roman d'espionnage à la romance, pour finir par une tragédie. Son mari m'a donné une grande leçon de dignité, de courage. Je n'oublierai jamais lorsqu'après le décès de sa femme, il m'a remercié, simplement pour avoir été là, tous les soirs pour l'attendre, l'accompagner en réanimation, tard, lorsqu'il sortait de son travail et venait de loin, après s'être occupé de ses enfants.

Quel devoir d'humilité nous avons face au courage et à la force de cet homme! Cet échec, car c'en est un, est gravé dans mon esprit et ma chair, même si je n'ai aucun regret. L'indication était formelle, il n'y a pas eu de faute technique. Si c'était à refaire, je le referais, car il n'y a pas d'alternative thérapeutique, en espérant des suites meilleures. Je ne pose pas une indication chirurgicale cérébrale délicate sans penser à Anna, à son mari et à leurs trois enfants et à quelques autres aussi qui, fort heureusement, se comptent sur les doigts d'une seule main et pour qui le risque vital s'est transformé en triste réalité.

Comme le dit mon ancien patron: «Pour être neurochirurgien, il faut accepter le fait que nous perdrons des patients et que certains seront lourdement handicapés. C'est à chaque fois un crève-cœur et une leçon d'humilité. Mais c'est le prix à payer, pour pouvoir apprécier la très grande majorité des cas où tout se passe bien».

À mon tour de dire merci et de rendre hommage à Gunther qui m'a donné une inestimable leçon de vie.

La vie après lui avoir fait connaître le bonheur, l'amour à l'Ouest, l'a brutalement renvoyé en enfer avec le décès de sa femme. Je suis certain qu'il continue sa vie pour l'amour de ses enfants, et celui d'Anna.

Merci.

Analyse d'expert

Même en exerçant une spécialité médicale de très haut niveau technologique, le médecin est tout aussi en contact avec les dimensions humaines et interpersonnelles de ses patients que peut l'être le médecin de famille. Davantage même en certaines circonstances où la vie et la mort sont si proches et où tant le patient que sa famille et le médecin misent sur la technologie pour sauver une vie.

Quelle tristesse pour la famille quand cela ne réussit pas, mais aussi pour le médecin! Certains «docteurs» sont tentés de se protéger de ces émotions par la distance ou la froideur.

Au contraire, le médecin pourra être d'une aide extrêmement précieuse, s'il arrive à reconnaître et à accepter ses propres émotions et s'il se montre ouvert avec les proches.

En prime, cette expérience pourra devenir, pour lui, une fort belle occasion d'enrichissement personnel.

Il y a mille manières de commencer …

Pierre DE VEVEY, Chavornay/SUISSE

C'est une très ancienne histoire, mais elle reste intacte, inscrite au fond de moi, au plus profond de ma mémoire de docteur. Ces émotions du passé m'envahissent à l'instant même où j'en évoque le souvenir.

À cette époque, je suis installé depuis quelques semaines dans un gros bourg de la campagne de la Suisse francophone. Médecin généraliste, je suis, ce soir de janvier, de garde pour la région. Je suis un peu tendu et nerveux car c'est mon premier service depuis l'ouverture de ma pratique. J'essaie de positiver et de me rassurer en pensant que ma formation hospitalière a été assez longue et complète pour faire face aux urgences ambulatoires les plus courantes.

Il est 20h30 lorsque le téléphone sonne pour la première fois. Un père me demande de voir sa fille qui a mal au ventre depuis l'après-midi.

Une petite heure plus tard, vous êtes assise en face de moi sans avoir pris la peine de retirer votre lourde parka. Pleine de charme et de spontanéité, vous m'avouez un âge que je ne vous aurais jamais donné spontanément. Quinze ans, alors que tout en vous évoque plutôt la femme que l'adolescente. Avec assurance vous répondez à mes questions. Oui, vous êtes nauséeuse depuis plusieurs jours. Non, vous n'avez pas vomi et votre transit intestinal n'a pas changé. Non, vous n'êtes pas fébrile. Les douleurs sont récentes, quelques heures au plus, et sont diffuses, plutôt dans le bas ventre. Non, vous n'avez pas de plainte urinaire. Oui, vous avez eu vos règles il y a dix jours et elles étaient tout à fait normales. Oui, vous prenez la pilule avec rigueur. Non, vous n'avez pas eu de rapports intimes puisque vous n'avez pas de partenaire.

Pendant que je termine l'écriture du dossier, je vous demande de vous défaire, ce que vous faites en me tournant pudiquement le dos. Vous vous étendez sur le divan d'examen en prenant soin toujours d'échapper au mieux à mon regard. Mais la réalité vous échappe dès que je m'approche de vous. Votre ventre est un gros ballon lisse et tendu. Les jambes coupées, je dois m'asseoir pour reprendre mes esprits. Voyons, vous m'avez affirmé que pas de copain donc pas de rapports intimes, la pilule à bord sans oublis évidents, des règles normales il y a dix jours… Alors, c'est quoi ce gros ventre, un tératocarcinome super évolué ou un super mensonge dans un bel emballage? Prudemment, je risque mon stéthoscope sur cette montgolfière et j'ausculte un cœur qui bat là tout au fond, très vite, beaucoup trop vite pour que ce soit le vôtre. Je me concentre. Vous avez un rythme à 76 par minute et lui ou elle tape à 120 à la minute. Vous êtes donc deux, lui ou elle et vous. Mon visage est en feu, je dois être tout rouge. Comment vous dire?

– Je… je crois que vous êtes enceinte… votre grossesse est déjà très avancée.

Vous éclatez alors en sanglots et vous m'avouez au travers de vos larmes que vous le saviez mais que vous ne pouviez pas le croire, que vous aviez tout fait pour ne pas vous l'avouer et cacher aux autres cette réalité qui saute aux yeux. Que de complicité dans votre entourage!

Un rapide toucher vaginal m'apprend que vous êtes quasi à dilatation complète. C'est un père complètement abasourdi mais béat de bonheur qui vous embarque dans sa bagnole en direction des urgences.

Vous accouchez dans l'ascenseur de la maternité d'un fils de 3800 grammes. «APGAR*» 8-10-10. Circulez, tout est sous contrôle…

---

* Le score d'APGAR est une évaluation de la vitalité d'un nouveau-né. Il est effectué au moment de la naissance et après 5 minutes. Ce score a été introduit en 1952 par la docteure américaine Virginia APGAR. Un score de 10 signifie un bébé en meilleure condition de santé possible; un score inférieur à 7 témoigne d'une détresse.

Analyse d'expert

Le déni de grossesse. Phénomène rare et toujours si étonnant! Certaines femmes enceintes peuvent parfois ne pas reconnaître les symptômes et signes de grossesse et ce, jusqu'à un stade très avancé, voire jusqu'au moment de la naissance. Certaines se présentent aux urgences sur le point d'accoucher, venant consulter pour douleurs abdominales ou au bas du dos. Ce déni de la grossesse peut s'expliquer par le désir inconscient de ne pas reconnaître une situation (la grossesse) perçue comme inacceptable en regard de valeurs personnelles, sociales ou religieuses, ou encore pour ne pas être rejetée par le père ou la famille. Parfois, ce peut être relié à de la psychose ou une déficience intellectuelle, mais pas toujours.

Tout aussi étonnante est la réaction de l'entourage, qui peut présenter le même déni de la situation, comme dans ce cas où le père non plus n'avait pas noté les signes de la grossesse de sa fille.

Pour le médecin, cette situation est toujours surprenante, tellement les signes cliniques sont évidents. Il faut beaucoup de doigté pour transiger avec des personnes ayant "choisi" de se cacher l'évidence. La révélation de leur état peut causer tout un choc!

Une histoire d'électricité

Pierre DE VEVEY, Chavornay/SUISSE

Je tourne en rond. Le silence est oppressant. Les marches de l'escalier de bois craquent sous mes pas. Vous êtes là quelque part. Votre voisine m'a bien dit qu'elle vous avait trouvé tout à l'heure mort sur votre lit. Je sais aussi que vous êtes seul. Votre épouse est partie en voyage ce matin. Un mot, écrit d'une main hésitante, posé sur la table de la cuisine atteste son absence:

Mon chéri, je suis partie sans te dire au revoir. Je t'ai entendu bouger toute la nuit depuis ma chambre. Enfin ce matin, tu t'es endormi. Je n'ai pas voulu te réveiller. À dans quelques jours.
Je t'aime.

Le papier glisse de mes doigts émus. Où êtes-vous donc? L'appartement est désert. Seules quelques mouches bruyantes de cette fin d'été s'acharnent contre les fenêtres fermées. Ai-je mal compris ce coup de téléphone? Est-ce un mauvais rêve? Êtes-vous juste sorti faire quelques pas dans le quartier? Je m'apprête à m'asseoir pour vous attendre lorsqu'une porte peu visible au fond du salon attire mon regard.

Vous êtes venu me consulter pour la première fois il y a une quinzaine d'années avec un fort gros dossier sous le bras, votre médecin de toujours ayant cessé son activité. Peu bavard et un peu sourd, l'anamnèse et l'examen clinique furent laborieux. Visiblement inquiet, vous réagissiez au changement par une attitude tout d'abord hésitante, tortueuse, nourrie de méfiances, de pudeurs et de mystères. Après quelques années, nous avons quand même pu souffler un peu. Un lien devenait consistant. La confiance s'installait, formidable alchimie du temps qui passe et des épreuves partagées. Elle ne nous a heureusement plus jamais quittés. Vous avez fait toutes les complications médicales que l'on peut infliger à un être humain. Vous êtes devenu une compilation de soucis, une migraine permanente pour votre généraliste. Vous les avez toutes faites, mais toujours en marge des «guidelines». Malgré tout, rien n'a su altérer votre foi inébranlable en la vie. On vous a cru mort à plusieurs reprises. Chaque hospitalisation se terminait pourtant par un coup de fil annonçant votre retour à domicile. Votre traitement si complexe et si souvent modifié a enrichi pharmaciens et spécialistes. On vous a même mis sous la peau cette petite boîte magique porteuse de promesses d'éternité: un défibrillateur cardiaque. Là, je sais que vous devez être derrière cette porte que je ne peux pourtant me résoudre à ouvrir. Vous êtes mort malgré cette promesse technologique implantée au plus profond de vous-même. J'avais, peut-être plus que vous encore, une espèce de foi irrationnelle en cette pile et ces fils électriques. Mais la magie n'a pas opéré et le rêve est maintenant cassé. Il va falloir que je retire ce qui fût votre plus beau bijou, car il en va ainsi des recommandations. Un rapide appel au cardiologue me confirme la nécessité de neutraliser l'engin avant de couper les sondes. Au risque d'être défibrillé moi-même.

Les pompes funèbres viennent de vous emporter. Je remets de l'ordre dans votre chambre à coucher. Le jour pénètre par le volet entr'ouvert. Je cherche et ne trouve pas l'interrupteur de votre lampe de chevet. Électricité quand tu nous tiens. Tant pis, elle restera allumée comme un cierge, témoin de votre départ.

Analyse d'expert

Au fil du temps, en affrontant des problèmes complexes, en traversant des périodes difficiles entrecoupées de moments de soulagement et d'espoir, un lien très fort se tisse entre le médecin et son patient. Chacun en vient à penser que l'autre sera toujours là, surtout avec le sentiment d'invincibilité que peut procurer la technologie du défibrillateur cardiaque, qui fait croire à certains qu'ils ne pourront plus mourir. C'est le cas de cette patiente «borderline» qui avait tenté de se suicider à de multiples reprises et qui a si mal réagi à l'implantation d'un défibrillateur cardiaque. Croyant qu'il lui était désormais impossible de mourir, elle avait perdu le sentiment de contrôle sur sa vie que ses idées et gestes de suicide répétés lui procuraient.

Néphropathie des Balkans ou syndrome d'Abschnitt-Coupon-Cedola?

Thierry FUMEAUX, Nyon/SUISSE

Ne cherchez pas, la première est très rare et le deuxième n'existe pas.

Tous les médecins ont sans conteste un ego, et dans l'histoire de la médecine, nombreux sont ceux qui, pour le satisfaire, ont cherché ou cherchent à laisser une trace. Quoi de mieux alors que de décrire un syndrome ou une maladie rare, et lui donner son nom. La manœuvre est indéniablement couronnée de succès quand la communauté médicale adopte unanimement et définitivement le patronyme. Une sorte de paternité intellectuelle pour l'éternité.

Ainsi, n'importe quel dictionnaire vous livrera une collection de noms propres, souvent combinés, décrivant des syndromes ou des maladies plus ou moins graves et plus ou moins fréquentes. Maladie de Bouveret, syndrome ou maladie de Cushing, syndrome de Wolf-Parkinson-White, ou maladie de Rendu-Osler, autant de pathologies évoquées comme un hommage à nos grands ancêtres médicaux. Certains ont même atteint le niveau du langage commun non médical, comme Alzheimer ou Parkinson.

Il faut reconnaître que la pratique est particulièrement présente dans la médecine francophone, nos collègues anglo-saxons, plus pragmatiques, ayant souvent remplacé les patronymes par une description plus palpable de l'affection médicale. Mais dans nos contrées, la connaissance de ces nombreux syndromes et maladies fait partie de l'apprentissage. Un sport intellectuel pour certains.

Voilà qui me rappelle un de mes maîtres: une intelligence vive, une mémoire à toute épreuve, et surtout un vrai plaisir à DÉMONTRER la supériorité de son savoir (qui était réelle). Quel plus bel exemple de cette suprématie intellectuelle que de pouvoir évoquer plusieurs fois dans la journée des maladies et affections inconnues de la plèbe médicale! Cette attitude, qui provoquait tant de plaisir chez son auteur, n'était cependant jamais dégradante ou humiliante, mais plutôt stimulante. À chaque fois, le jeune étudiant en médecine que j'étais, en stage dans son service, était littéralement époustouflé. Collectionner des patronymes comme d'autres collectionnent des timbres: fascinant! Avec en plus des compétences de médecin hors-pair.

Dans les mois qui suivirent ce stage, je m'attelais à la préparation de mes examens finaux pour devenir médecin. La pathologie était alors le gros morceau de cette préparation car nous savions tous combien l'examen oral de pathologie était ardu … Reconnaître sur une lame l'aspect typique d'une glomérulonéphrite membrano-proliférative ou décrire dans le détail l'aspect microscopique ou macroscopique du carcinosarcome utérin représentait pour la majorité une espèce de face nord impossible à maîtriser. Tout cela se passait devant de nombreux camarades, puisque l'organisation même du supplice impliquait de le subir non seulement face aux professeurs, mais surtout dos à une vingtaine de collègues suant et angoissant dans la préparation de leur propre examen oral!

À la lecture de mon pavé de pathologie, la page 986 m'apporta soudain une étincelle: la néphropathie des Balkans. Dix-huit lignes, pour décrire une pathologie rénale interstitielle rare que personne ne pouvait décemment connaître! L'arme ultime pour impressionner professeurs et étudiants, me permettant de suivre l'exemple de mon maître. Aussitôt, je montrais ce passage de livre aux trois collègues de mon groupe de préparation d'examen et je leur proposais le défi de leur vie: chacun d'entre nous, au cours de son examen oral de pathologie, parlerait de la néphropathie des Balkans, peu importe comment.

Le jour de l'examen, nous étions tous les quatre fin prêts. Les 18 lignes connues à la virgule. Chacun avait développé un stratagème lui permettant de dériver vers les Balkans et leur si méconnue néphropathie à partir de la coupe histologique de n'importe quel organe. Mais patatra! Le premier d'entre nous trébucha lourdement sur un astrocytome anaplasique, sans un mot pour la néphropathie des Balkans. Aucun n'eut l'outrecuidance de pavaner à la suite de ce cuisant échec et la célèbre néphropathie resta bien à sa place dans nos têtes, d'ailleurs probablement responsable du malheur de notre collègue. Une petite frustration qui m'a plus ou moins consciemment accompagné dans la suite de ma vie professionnelle. En effet, depuis lors, j'espère pouvoir un jour diagnostiquer une néphropathie des Balkans et tordre le cou à ce mythe. C'est pourquoi j'évoque ce diagnostic à chaque occasion, mais sans succès à ce jour. J'ai même épousé une néphrologue, pour augmenter mes chances de triomphe, mais rien n'y fait. Il me reste encore l'émigration vers les Balkans, en ultime ressort.

Mais revenons au syndrome d'Abschnitt-Coupon-Cedola et à mon maître collectionneur de patronymes. Je crois pouvoir aujourd'hui décrire sans l'offenser un épisode confidentiel traduisant sa passion pour la connaissance médicale, épisode qui s'est probablement un peu romancé dans ma tête au fil des années, mais qu'importe!

Quelques mois après mon stage dans son service, tout fraîchement diplômé médecin (malgré une prestation plutôt médiocre à l'examen de pathologie), je travaillais dans le service «concurrent», un étage au-dessous. Les médecins assistants de l'autre étage du service étaient plus expérimentés, et certains jouaient malicieusement avec l'ego de leur patron qui y consentait sans nul doute avec beaucoup de ravissement. L'histoire qui suit, dont je ne sais pas si elle est vraie ou seulement légendaire*, m'a été racontée par ceux-là mêmes qui montèrent ce piège simple mais efficace à l'encontre de l'aîné. Leur arme secrète: le syndrome d'Abschnitt-Coupon-Cedola!

Grande visite du patron et présentation de ce patient admis pour fièvre, douleurs abdominales diffuses, éruptions cutanées des membres inférieurs, vertiges et perturbations diverses dans les exa-

---

* Comme disent les italiens: «*Se non è vero, è ben trovato*».

mens de sang. Une constellation de plaintes et de signes «éparpillant» les possibilités diagnostiques. La tendance des médecins est alors de tout mettre sous le même chapeau de truc, de cossin, de machin, ou de machin-truc:

– Ne serait-ce pas un syndrome d'Abschnitt-Coupon-Cedola? lança un de mes collègues.

Un profond silence suivit ce courageux lancer de pavé dans la mare. En quelques secondes, le maître analysa la situation: un syndrome inconnu, chose peu envisageable quelques secondes auparavant, n'allait pas le laisser sans voix et il fallait réagir bien vite. Feignant un court instant la profonde réflexion, il retorqua:

– Excellent! C'est effectivement fort possible au vu de la constellation des signes et symptômes de ce brave homme. Rappelez-nous s'il vous plait les critères diagnostiques de ce syndrome!

Pris à son propre piège, mon jeune collègue enchaîna avec un aplomb formidable:

– Eh bien, on note en général une fièvre, des douleurs abdominales, une éruption cutanée et des vertiges. Il n'y a pas d'examen diagnostique spécifique et aucun traitement étiologique n'est disponible.
– Faites-lui un scanner du cerveau, appelez le dermatologue et nous verrons si le diagnostic se confirme

lança le patron, s'éloignant vers le malade suivant. Trop s'appesantir sur ce maudit syndrome ne ferait qu'augmenter le risque de trébucher.

La visite se poursuivit, dans une atmosphère de malaise général, le chef de service, contrarié d'avoir été momentanément dépassé par ses assistants et ces derniers n'ayant pas imaginé que leur piège fonctionnerait si bien. La brièveté des échanges faisait que les apparences étaient sauves pour tout le monde. La recherche du détestable syndrome d'Abschnitt-Coupon-Cedola, restée certainement vaine pour le chef de service il y a quelques années, l'est tout autant de nos jours à l'époque d'Internet.

Abschnitt veut dire ***Coupon*** en allemand, et ***Cedola*** a la même signification en italien. Ces trois mots étaient inscrits à l'époque sur la partie détachable des billets de train de la compagnie ferroviaire nationale helvétique.

Analyse d'expert

La formation médicale clinique se fait parfois encore à la dure, en exigeant sournoisement un nombre d'heures et de surcharge de travail inhumains, dans un climat de compétition malsaine, où chacun veut bien faire pour prouver ses connaissances.

Plusieurs patrons «terrorisent» leurs étudiants en les déstabilisant et en leur montrant qu'ils ont tellement à apprendre!

Certains poussent la note un peu loin et cultivent leur ego en étalant l'étendue de leurs connaissances. Pas étonnant que des étudiants aient eu envie de «servir la même médecine» à leur professeur! D'autres enseignants préfèrent transmettre leur savoir par le phénomène de la répétition ludique et par le désir de partager cette belle science humaine qu'est la médecine.

Vive l'amnésie!

Luc HUMAIR, Neuchâtel/SUISSE

L'expression anglaise «near death experience», amplement utilisée dans la littérature, a été à la source de quelques passes d'armes entre médecins, cardiologues, psychiatres et psychologues dans leurs tentatives d'expliquer «les expériences proches de la mort» ou l'étrange expérience vécue par ceux que certains ont nommés «les rescapés de la mort».

Dans une carrière médicale, on peut observer de tels phénomènes. Je me permets de décrire un cas vécu qui m'a posé, et qui a posé à chacun de ceux qui ont été en présence de cas semblables, de réelles questions en raison, notamment, de la similitude des tableaux décrits, de la séquence des événements, des termes employés par les malades et de la constance de cette terminologie au cours du temps.

Voici le cas.

En charge d'un département de médecine de 80 lits avec soins intensifs, j'assumais la garde à tour de rôle avec mon adjoint et le médecin senior. À la fin de la journée, en quittant l'hôpital, je passais par les soins intensifs afin de m'assurer que tout était en ordre. Je me trouvais dans une chambre avec deux malades qui venaient de faire un infarctus du myocarde. Le rythme sinusal s'inscrivait sur les écrans ainsi que la pression et la saturation en oxygène. Tout était calme et tranquille, lorsque tout à coup un malade s'agite, fait des mouvements désordonnés des bras et des jambes, comme s'il faisait une crise épileptique. Pas de doute, sur l'écran, c'est une fibrillation ventriculaire. On alerte l'anesthésiste. J'intube le malade et commence un massage cardiaque. Comme l'anesthésiste se fait attendre, je donne d'emblée un choc de 200 joules sur le thorax du malade. Quelques secondes plus tard, un rythme sinusal réapparaît, le malade restant inconscient. Il se laisse bien ventiler à l'aide du respirateur artificiel et tout se remet en place tranquillement. Le lendemain matin, le malade conscient est extubé. Son rythme cardiaque et sa pression sont normaux.

Cette réanimation et une défibrillation sans anesthésie a soulevé bon nombre de questions parmi le personnel soignant. Aujourd'hui, il est admis par toutes les sociétés savantes qu'un malade en fibrillation ventriculaire doit recevoir un choc électrique le plus rapidement possible. Désirant être sûr du caractère inoffensif des actes médicaux de réanimation, je m'étais résolu à questionner le malade dès son réveil. Je vous rapporte la première conversation que j'ai eue avec lui. Pour plus de sûreté, j'ai écrit immédiatement les réponses du malade, afin de pouvoir me servir de son témoignage comme référence par la suite.

– Cher Monsieur, vous venez de subir un choc important. Votre cœur s'est mis à battre la chamade et a fait une fibrillation ventriculaire. Comme votre cerveau et tout votre organisme n'étaient plus irrigués, vous avez présenté les symptômes d'une crise épileptique. Il a fallu intervenir rapidement: tout d'abord mettre une sonde dans la trachée afin de ventiler vos poumons, puis vous donner un choc électrique sur le thorax afin de remettre votre cœur sur la bonne voie, ceci sans anesthésie. Je voudrais savoir si ce choc électrique vous a occasionné des douleurs, des brûlures et si vous avez souffert des actes de réanimation.

– Comment? J'ai reçu un choc électrique sur le thorax? Je ne m'en souviens pas du tout. De toute façon, je n'ai rien ressenti, ni du choc électrique, ni de l'intubation ni du massage cardiaque. Vous avez agi sur mon corps alors que mon esprit planait au-dessus. Je n'ai pas ressenti cette agression. Je me trouvais dans une atmosphère éthérée, dans un bien-être complet. Je dois vous dire que cet état était fort agréable et que si c'est cela, mourir, je suis prêt à mourir tous les jours.

Je restai interloqué par ces réponses. J'avais pourtant lu que le réanimé planait au-dessus de son corps, ou qu'il passait par une sorte de tunnel pour accéder à une lumière vive. Je lui demande alors:

– Avez-vous d'autres impressions ou remarques à faire?
– Je ne me souviens pas d'avoir perdu connaissance et je me trouvais dans un paradis. Vos gestes sont passés inaperçus et je ne m'en souviens pas. Mais comme j'ai perdu connaissance, j'aimerais vous demander combien de temps ma femme a été veuve?

Question pleine d'humour pour un réanimé. Je lui réponds:

– Trente minutes à une heure au maximum.
– Dans ce cas-là, je vous remercie ainsi que toute l'équipe pour le travail accompli. Cependant, j'ai une petite remarque à vous faire. Lorsque je me suis trouvé mieux, cloué dans mon lit et encore intubé, la machine se remettait tranquillement en marche et je reprenais contact avec la réalité. C'est précisément à ce moment-là que j'aurais eu besoin de votre présence comme de celle des infirmières. Or, de votre côté, vous avez pensé que tout allait pour le mieux et vous êtes tous partis, en m'abandonnant dans mon marasme. C'est là que mon beau rêve s'est terminé, laissant un moniteur marquer mes battements cardiaques et un respirateur ventiler

mes poumons. Vous êtes tous partis au moment où j'avais besoin de vous.

Voilà des propos bien révélateurs des angoisses de la réanimation. Le malade m'a répété le même discours durant tout son séjour et même une année plus tard, il tenait les mêmes propos avec deux thèmes prédominants:

– Pendant combien de temps ma femme a-t-elle été veuve?
  Si c'est cela mourir, je suis prêt à mourir tous les jours.

Le besoin d'une présence auprès d'un réanimé reflète l'angoisse du malade au sortir du coma. Par contre, il n'a aucun souvenir des manœuvres de réanimation.

Cette histoire vécue m'a beaucoup donné à réfléchir et m'a incité à être plus attentif à ce qui se passe après une réanimation. J'ai observé plusieurs fois les mêmes phénomènes, mais jamais un malade n'a été aussi explicite dans ses réponses, surtout avec une telle pointe d'humour.

Analyse d'expert

Quel sentiment d'accomplissement que de ramener à la vie une personne dont le coeur cesse subitement de battre! Cela suscite toujours l'envie de savoir ce qu'elle a vu ou expérimenté et, de fait, les descriptions faites par ces survivants sont intéressantes. Elles suscitent un grand intérêt scientifique (étude des endorphines procurant ce bien-être incomparable...), psychologique et spirituel. Elles nous aident probablement à apprivoiser la mort, la nôtre aussi par le fait même.

Les descriptions de lumière, de chaleur, de bien-être sont rassurantes, apaisantes. Assez pour qu'on arrête là de s'intéresser au vécu de la personne. Ce cas particulier nous rappelle que, parfois, lorsque nous croyons que tout est terminé, que nous avons fait tout ce qu'il fallait pour ramener quelqu'un à la vie. En réalité, tout recommence. Ce patient doit se rémettre dans la réalité après avoir cru se diriger vers la plénitude et l'arrêt de ses souffrances.

«Examinez-moi, Docteur!»

Bernard LEBEAU, Paris/FRANCE

Le contact physique est un rapport fort dans la relation à l'autre. Dans la vie courante de nos pays, il est symbolisé et limité à la poignée de mains. Seuls médecins et professions paramédicales ont la possibilité de dépasser celle-ci dans un premier contact avec des inconnus. Les médecins en usent de moins en moins, la valeur diagnostique de l'examen clinique ayant été largement réduite par les progrès des examens dits complémentaires. J'ai vu au cours de ma carrière arriver l'échographie, le scanner, la scintigraphie, l'imagerie par résonnance magnétique, la tomographie par émissions de positons et j'en passse. Quelle extraordinaire dynamique de progrès! Regretter le temps passé ne sert à rien, mais des patients se plaignent de ne plus être examinés! Ils aiment ça, comme j'avais pu le remarquer à l'époque de mon externat, période où les stages hospitaliers ont pour but de former les étudiants à la pratique clinique. Les anecdotes qui suivent en témoignent. À l'époque, maintenant révolue, elles se sont de plus déroulées dans l'ambiance très particulière des salles communes où 26 lits pouvaient être juxtaposés en 3 rangées, où l'on pouvait compter les décès de la nuit en arrivant le matin par l'observation du nombre de paravents roulants disposés dans la salle, où l'intimité et le respect du secret médical, voire même du patient, étaient bien mis à mal. Par exemple, interdiction de quitter son lit le matin car il fallait être à la disposition des médecins, pas de paravents pour les vivants exposés au regard de tous, que ce soit lors de leurs examens au lit par un médecin ou pour les soins, même les plus intimes.

Lui, soixante-dix ou septante ans, comme vous préférez, atteint de leucémie myéloïde chronique, siégeait au lit n°2, juste après l'entrée à droite. Il siégeait vraiment: jamais couché, toujours assis, au pied de son lit, aux aguets. Tout jeune médecin passant à son contact se faisait capturer. Il ne pouvait s'échapper de sa main droite qui saisissait notre poignet en disant: «Venez me palper le ventre, j'ai la plus grosse du monde!» Soyez rassuré, lecteur, cet organe gigantesque n'était pas au bas-ventre, mais tout en haut à gauche comme doit l'être une rate. Elle était hypertrophiée chez lui du fait de sa leucémie, tout au long de son flanc, descendant jusqu'à l'aine et faisant sa fierté, ignorant qu'il était de la gravité de sa pathologie.

Elle, douce octogénaire, pathologie chronique peu sévère, était depuis près d'un mois dans ce service de neurologie, en attente de placement, donc un peu délaissée. C'est sa voisine que j'examinais en lui tournant le dos. L'examen physique est particulièrement riche en neurologie. Un examen mené de façon complète prenait à l'époque environ une heure pour un nouveau patient: appréciation du tonus puis de la force musculaire sur les quatre membres, de la sensibilité superficielle au tact, au pique-touche et à la chaleur, de la sensibilité profonde, positionnelle et au diapason, recherche des différents réflexes avec notre joli marteau pour les réflexes ostéo-tendineux et une aiguille mousse pour les cutanés, notamment sur la plante des pieds, exploration de l'équilibre puis des 12 paires de nerfs crâniens avec, à l'époque et pour la première, le nerf olfactif, une extraordinaire boîte à odeurs… j'en passe et des meilleures. Nous faisions tout cela avec grande attention, concentrés, consignant nos données dans le précieux dossier que le patron nous demanderait peut-être de lire devant tout le service lors de sa prochaine visite en salle hebdomadaire. Soudainement, alors que j'allais m'attaquer à l'étude des fonctions supérieures, une main a caressé mon dos. Je me suis retourné. C'était la voisine. Un séduisant sourire et, ses yeux dans mes yeux, elle a rougi en me disant:

– Quand vous aurez terminé avec Madame, vous viendrez aussi un peu jouer avec moi.

Elle encore, elle enfin, nettement plus coquine, était comme le premier, l'homme à la grosse rate, à l'affût du passant, plus sélective cependant. Son choix se limitait aux externes messieurs, allez savoir pourquoi!

Elle avait la chance de bénéficier d'un des deux lits placés dans des box vitrés à l'entrée de la salle, donc un peu plus discrets, permettant le lever dans l'espace limité de la petite pièce d'où elle observait le passage. Tout nouvel arrivant de sexe masculin, jeune et en blouse blanche, se faisait appeler d'un signe de l'index. Il entrait dans la chambre. À chacun, elle disait:

– Vous êtes étudiant. J'ai un kyste de l'ovaire. Il faut que vous appreniez le toucher vaginal. Cela ne me dérange pas que vous veniez me palper. À votre âge, c'est normal, vous êtes un peu timide. Je vais vous montrer comment il faut faire.

Il était vraiment tout petit son kyste… ou nous étions de maladroits débutants!

Analyse d'expert

La médecine est une discipline au confluent de la science et de la relation humaine. La science et la technologie ont repoussé les limites de la précision diagnostique et de l'efficacité thérapeutique. Elle n'a toutefois pas supprimé ni l'importance de l'observation clinique, qui passe par l'examen du malade, ni l'importance du contact humain.

La relation médecin-malade étant souvent le substitut à des relations par ailleurs manquantes ou insatisfaisantes.

Insensible au temps

Marc ROLLAND, Saint Martin en Haut/FRANCE

C'est l'hiver, j'entends le vent siffler sous la porte de mon cabinet. Médecin de campagne dans un village d'altitude, je suis affairé à remplir des dossiers administratifs comme la France les aime. Je fais toujours cela le jeudi et je ne consulte jamais ce jour.

La neige tombe sans discontinuer depuis 48 heures. Les routes et les rues sont difficilement praticables, au moins 45 à 50 centimètres de blancheur et ça gèle à pierre fendre.

J'ai allumé la petite lampe de mon bureau en cette fin de journée, car le jour est court en ce mois de décembre. Le temps paraît être en suspens et les rares bruits venant de la rue semblent assourdis.

Plongé dans mes réflexions professionnelles, j'ai l'impression que quelqu'un est entré dans le cabinet. Engourdi par ma longue position assise, je me lève doucement pour aller vérifier: personne dans le petit hall d'entrée. J'ouvre la porte de la salle d'attente.

Un petit homme est assis sur l'une des chaises, il est chaussé de vieux croquenots tout humides, à moitié ouverts sur le devant. Son pantalon de velours marron, que sa position assise fait remonter à mi-mollets, laisse apparaître des chaussettes de laine en accordéon qui baillent lamentablement. Il porte un pull mité, verdâtre, une trop étroite veste gris-marron élimée jusqu'à la trame, fermée par un seul bouton prêt à craquer et une chemise d'une couleur indéfinissable. Par ce temps si froid, il n'a même pas mis d'écharpe.

Il y a un long silence scrutateur, puis nos regards se croisent. Je ne connais pas cet homme. Il paraît très vieux, mais son regard est vif et malicieux. Un sourire édenté éclaire son visage ridé.

Dans la salle d'attente que j'ai pris soin d'éclairer (ce brave patient s'était discrètement installé dans la pénombre), je lui dis bonjour et lui explique que je ne consulte pas aujourd'hui. Il n'en a sûrement rien à faire, mais je commence une longue explication pour me justifier en fustigeant l'administration de nous surcharger de travail par les innombrables formulaires et autres dossiers que nous, les médecins, devons remplir pour le bien des patients.

- Vous comprenez, cela nous prend tellement de temps que nous devons sacrifier une journée dans la semaine pour réaliser ce travail et vous êtes tombé sur le mauvais jour!

Le patient pose sur moi son regard espiègle, puis lentement, difficilement, il se lève de sa chaise.

«Zut!», me dis-je, il m'a tout salopé la salle d'attente avec ses sales croquenots pleins de neige boueuse! «D'où vient-il encore celui-là?».

En guise de salut, il soulève sa casquette de laine marron qui laisse apparaître un crâne monastique, puis réajuste celle-ci. Il est debout devant moi. Enfin debout... Je le vois un peu de profil, et de profil il ressemble à une serpette tellement son dos est courbé. Il m'arrive à mi-torse. Il est obligé de relever la tête avec difficulté pour me regarder car ses cervicales sont si arthrosées que spontanément son regard se dirige ver le sol. Il doit avoir plus de 80 ans!

- Est-ce que je peux revenir demain?

me demande-t-il en roulant les «r». Je sens que j'ai gagné la partie, si tant est qu'il y ait eu un combat. S'il propose de lui-même de reporter sa visite au lendemain, c'est que le motif de consultation n'est pas important. Pour écourter ce contretemps dans mon travail administratif, je ne lui pose surtout pas la question sur le motif de sa venue. On ne sait jamais, cela pourrait conduire à une discussion dont je ne pourrais peut-être plus me défaire et cela me ferait rentrer encore tard ce soir!

- Bien sûr que vous pouvez venir demain! Je vous propose 17h30, cela vous convient-il?
- J'y serai!

Il laisse son regard repartir vers le sol et se dirige vers la sortie sans mot dire. Je le salue et le laisse repartir. Je referme la porte en le regardant marcher dans cette neige profonde.

Il a du courage, quand même, de venir à pied par ce temps. J'espère qu'il n'habite pas loin. Une once de culpabilité s'insinue dans mon esprit, vite balayée par la tâche administrative qu'il me reste à faire. Il fait presque nuit, la neige continue de tomber. Saleté de neige, j'espère que demain, il y aura un peu de soleil!

Aujourd'hui, c'est vendredi. La journée se passe sereinement, malgré les nombreuses consultations en urgence pour des chutes sur le verglas. À 17h30, je reconnais mon patient d'hier, sur la même chaise, les mêmes vêtements et la même neige boueuse fondue à ses pieds.

Je le fais entrer dans la salle d'examen, j'ouvre un dossier informatique à son nom. Il s'appelle Pierre. Il a 84 ans et habite à «La Forêt».

- Où ça?!
- À la Forêt. c'est une ferme toute seule à coté de la Croix du Signal.
- Ah oui, je vois…

Une sueur froide m'envahit. Je me sens honteux! Cet homme est venu à pied, il a fait 3 kilomètres aller, 3 kilomètres retour hier dans la neige et le froid et il a recommencé aujourd'hui! Je reste sans voix, je ne sais pas quoi dire sur le moment. Sa ferme, je la connais, elle est complètement isolée. Il y vit seul depuis toujours, sans eau courante ni chauffage, sans doute. Je continue:

- Et qu'est-ce qui vous amène à me consulter?
- Je ne vais jamais chez le docteur, voyez-vous, mais là je me suis quand même décidé, car j'ai si mal au dos que je ne peux presque plus marcher...

Il n'est ni sarcastique, ni agressif, et il n'a pas vraiment l'air de comprendre pourquoi je lui présente mes excuses pour ne pas l'avoir pris la veille…

Ensuite, il me raconte qu'il n'a jamais voulu passer son permis de conduire, d'ailleurs son voisin (la ferme la plus proche de la sienne est à huit cents mètres) s'est tué avec sa Peugeot 204! Lui, il a toujours pris son tracteur et ça va très bien comme ça. Quand il va faire ses courses et bien, il y va en tracteur! Mais avec son mal de dos, il n'a pas pu monter dessus, alors il est venu à pied!

Il est de ces êtres pour qui le temps ne compte pas.

Analyse d'expert

Le médecin est d'abord là pour soigner, aider les gens qui souffrent. Il se retrouve malheureusement parfois envahi par des contraintes administratives difficiles à concilier avec les soins aux patients. Pour plusieurs médecins, une façon d'y parvenir est de dissocier les deux aspects de la pratique en ménageant des temps distincts, étanches, pour l'une et l'autre tâche.

Dans cette histoire, où cette façon de faire a été adoptée, l'on sent bien la culpabilité du médecin de n'avoir pas su détecter l'effort surhumain fait par cet homme âgé pour venir le consulter.

Et Dieu s'exprima

Chirine PARSAI, Ollioules/FRANCE

Jeannette, 89 ans depuis un mois, vit dans la petite ville provençale d'Ollioules, ville des Fleurs, dont elle connaît tous les recoins depuis sa tendre enfance.

Elle a perdu son Marius il y a bien longtemps, mais a échappé toute sa vie à la maladie, ayant la chance d'être entourée d'enfants et de petits-enfants aimants et attentionnés.

En ce matin de printemps, alors que les lauriers fleurissent et que le thym parfume le Mistral, Jeannette, toujours très matinale, se rend à la cuisine pour préparer son café avant d'être terrassée par une violente oppression dans la poitrine.

Elle donne l'alerte en appuyant sur son alarme juste avant de heurter le sol, la tête dans le brouillard.

À l'arrivée des secours, le diagnostic tombe: Jeannette fait un infarctus étendu avec des signes de gravité. Sa seule chance de survie est de subir une coronarographie (examen invasif des artères du cœur) en urgence pour désobstruer l'artère responsable de la paralysie de la moitié de son cœur.

Malgré son âge, les médecins n'hésitent pas à la conduire d'emblée en salle d'examen, Jeannette étant une battante en pleine forme avant son accident et totalement autonome et indépendante. Rapidement, l'injection du produit de contraste effectuée à travers un cathéter placé dans l'aorte confirme l'obstruction complète d'une des artères du cœur de Jeannette. Habilement, le cardiologue la débouche à l'aide d'un ballonnet. La mise en place d'un ressort (*stent*) maintent l'artère ouverte et permet de rétablir immédiatement l'irrigation de son cœur.

Malgré la rapidité de l'intervention, l'état de Jeannette est grave.

Le cœur souffre!

Tous les moyens médicamenteux sont mis en œuvre pour maintenir une tension artérielle qui lui permette de survivre.

Soixante-douze heures plus tard, chaque minute qui passe amenuise ses chances de rémission et la famille est informée de sa mort prochaine, inéluctable et de l'interruption imminente des perfusions, ces dernières ayant été totalement inefficaces.

Même si Jeannette n'a jamais été une fervente pratiquante, elle s'adressait à Dieu dans les coups durs et c'était un de ces moments où seul Lui pourrait la comprendre. Jeannette rassembla toutes ses forces et exprima la volonté de voir un prêtre. Après que l'émissaire divin se fut longuement entretenu avec elle, son départ fut suivi d'un recueillement familial puis de l'interruption de toutes les perfusions avec maintien du traitement oral.

Dans notre profession, nous devons hélas souvent affronter l'impasse ou le dépassement thérapeutique, situation douloureuse quel que soit l'âge du patient. Notre choix se porte alors sur le confort du patient en essayant de lui éviter des souffrances inutiles liées à des traitements inefficaces, des prises de sang répétées et la mise en place de cathéters douloureux.

Si elle est présente, la douleur est calmée, mais les traitements par voie orale ne sont pas interrompus si le patient est en mesure de les poursuivre car .... on ne sait jamais. Les médecins expérimentés ne cessent de le dire à leurs élèves: «La médecine est loin d'être une science exacte.».

En paix, Jeannette retrouve le sommeil, ouvrant les yeux de temps en temps lors du passage de l'infirmière pour boire une gorgée d'eau et avaler ses médicaments.

Soixante-douze heures sont passées depuis l'arrêt des perfusions. Alors que l'équipe médicale et infirmière s'étonnent de sa résistance face à l'attraction de l'au-delà qui semblait pourtant si proche, Jeannette est calme, semble sereine, comme si elle avait besoin de récupérer d'un violent choc, de reprendre des forces.

Quarante-huit heures plus tard, Jeannette exprime l'envie de manger quelque chose.

Dix jours plus tard, nous négocions lors de la visite du matin son départ en maison de convalescence avant d'envisager son retour à la maison.

Quelles que soient notre expérience, nos connaissances et nos intuitions médicales, la médecine nous apprend à être humbles car nous sommes loin d'être capables de prédire l'avenir malgré toute notre bonne volonté et notre implication professionnelle fondée sur la science et la technologie professionnelle.

Dans certaines situations, sans un coup de pouce surnaturel ou divin que chacun nommera en fonction de ses convictions, l'évolution attendue peut basculer.

Hippocrate avait probablement raison: «La force qui est en chacun de nous est notre plus grand médecin».

Analyse d'expert

L'analyse est donnée par l'auteure elle-même!

Indépendamment du «savoir» et du «savoir-faire» du médecin, il est sage de ne pas sous-estimer la force et la volonté d'un patient approchant la mort.

Frôlant le bord du miracle, il y a des situations dans lesquelles toute réflexion cartésienne que nous appelons dans le jargon médial «la médecine basée sur l'évidence» doit céder sa place au non explicable, au surnaturel.

De ce fait il, c'est pertinent de citer le médecin et philosophe grec du siècle de Périclès, Hippocrate, qui affirme que «La force qui est en chacun de nous est notre plus grand médecin».

Mon chemin de Damas - Comment une expérience a changé le cours de ma vie

Louis DIONNE, Québec/CANADA

Mon chemin de Damas est en réalité «mon Chemin de Sydenham». L'événement est survenu à Londres en 1969. J'avais 38 ans. La Providence ou le hasard m'a fait connaître un médecin londonien qui me parle du premier hospice pour les mourants atteints de cancer. Mon chemin de Sydenham m'a conduit au St-Christopher's Hospice fondé en 1967 par Dame Cecily Saunders.

Chirurgien spécialisé en cancérologie et pratiquant à l'Hôtel-Dieu-de-Québec depuis juillet 1964, je devais de plus en plus assumer la responsabilité de malades atteints de cancer en phase palliative et en phase terminale. À cette époque, la médecine ne disposait guère de thérapies efficaces, hormis des analgésiques, pour soulager les douleurs physiques. Mais que faisions-nous pour atténuer la souffrance psychologique, morale, voire existentielle? Notre formation à la Faculté de médecine comportait bien peu de références au sujet du mourir et des soins aux mourants. Il n'est donc pas étonnant que nous nous trouvions assez démunis et ne sachions trop quoi faire avec les malades en fin de vie et leurs familles.

À l'Hôtel-Dieu-de-Québec, nous avions l'habitude de transférer le malade mourant dans la chambre en face du poste de «*nursing*» parce que nous savions que les infirmières sauraient combler nos lacunes personnelles. Par ailleurs, nous pouvions compter sur des religieuses Augustines qui acceptaient, généreusement, de venir auprès du malade quand il était seul, de sorte qu'il y avait toujours une personne présente dans la chambre, parfois même la nuit: les «Soeurs de la mort», disions-nous alors effrontément.

Mais nous étions rassurés puisque, dans ce temps-là, les visites aux patients n'étaient autorisées que de 14h à 16h et de 19h à 20h. C'est si vrai qu'un jour, une dame interceptée par le portier a dû attendre l'heure des visites pour rejoindre son mari qui est malheureusement décédé pendant qu'elle faisait le pied de grue devant l'ascenseur.

Cette expérience quotidienne vint à créer un profond malaise lorsque je devais dire à un malade que la médecine avait échoué à freiner l'évolution de sa maladie, malgré tous nos efforts, et qu'il fallait arrêter les traitements devenus inutiles, voire nuisibles. Avec raison, le malade avait le sentiment d'être abandonné. Lorsque j'écrivais dans son dossier «SUS» (soins usuels seulement), un sentiment d'impuissance m'envahissait. Nous savons aujourd'hui que la prescription aurait dû être «SOS», commandant la mise en œuvre de tout l'arsenal médical et humanitaire. Comme l'a si bien exprimé le Dr Thérèse Vanier: «**Quand la médecine vous dit qu'il n'y a plus rien à faire, tout reste à faire**», ce que malheureusement nous ne savions pas encore faire.

Mes visites au chevet des malades étaient plutôt courtes et mon malaise, palpable. Jusqu'au jour de mon «chemin de Sydenham» qui me conduisit à l'Hospice St-Christopher depuis la Victoria Station à Londres jusqu'à la gare de Sydenham. C'est là que je tombai de mon cheval et fus illuminé, comme l'apôtre saint Paul sur le chemin de Damas (Actes des Apôtres, chapitre 22).

Toute comparaison est boiteuse, mais celle-ci me parle en toute candeur. Je ne suis pas un apôtre, loin de là, et Jésus le ressuscité ne m'a jamais adressé la parole. Cependant, ce chemin qui m'a conduit depuis Québec jusqu'à l'Hospice St-Christopher et cette question qui m'habitait «Que dois-je faire?» sont bien réels et cette illumination s'est passée comme je vous le raconte.

Évidemment, je ne suis pas tombé à terre, mais je suis tombé des nues en constatant tout ce qui pouvait être fait pour soulager la souffrance du malade en fin de vie. Je me rappelle bien de la phrase que j'ai dite à Claudette, mon épouse, en revenant de ce voyage initiatique: «Pourquoi ne pas faire un St-Christopher à Québec?»

Ce fut mon illumination et la réponse à mon impuissance. Vous connaissez peut-être la suite. Si non, je vous invite à lire le livre écrit par Mme Yolande Bonenfant, «Petite histoire de la Maison Michel-Sarrazin», édité en 1995 par les Publications du Québec. Vous y verrez le long chemin parcouru pendant plus de 15 ans jusqu'à l'accueil de la première malade le 9 avril 1985, comment d'un chirurgien cancérologue que j'étais, je suis devenu un médecin de soins palliatifs. En effet, cette découverte a viscéralement changé ma vie. Progressivement, j'ai diminué mon rythme chirurgical. De cinq journées opératoires en 1970 il n'en restait plus qu'une en 1985. Je me suis littéralement engagé dans cette aventure de la **Maison Michel-Sarrazin** avec Claudette et mes enfants.

C'est dans le contexte de la «révolution tranquille»* qu'a connue le Québec qu'est né ce projet. C'était l'époque où l'on mourait à l'hôpital, dans les conditions que j'ai évoquées plus haut, mais qui prenaient parfois des tours dramatiques. Pour notre part, nous proposions le retour au mourir à la Maison, en famille: «À défaut de mourir chez soi, mourir à la Maison Sarrazin comme chez soi, accompagné de ses proches», disions-nous. C'était un changement de paradigme du mourir et une forme de retour au mourir à domicile d'autrefois.

Suite à cette rencontre londonienne, nous avons cherché les réponses aux questions cruciales qui nous hantaient. Quand faut-il tracer un trait lorsque les traitements contre la maladie cancéreuse deviennent futiles? Quand faut-il baisser pavillon et accepter que la maladie suive son cours? Quand faut-il admettre qu'il ne sert à rien de s'acharner sur une maladie incurable? Quand faut-il se pencher sur la personne et la qualité de sa vie restante et mettre en œuvre tous les services et soins nécessaires pour lui permettre de cheminer au rythme de sa maladie? Quand faut-il admettre l'échec thérapeutique et le transformer en réussite pour que le malade puisse vivre sa fin de vie et non pas mourir sa vie? Pourquoi ne pas inclure la famille et les proches au sein de l'équipe de soins

---

* Révolution tranquille désigne une période de l'histoire contemporaine du Québec (décennie 1960), préparée par des années d'industrialisation et d'urbanisation et marquée par la séparation de l'Église et de l'État, par la naissance d'un véritable État québécois et par l'émergence d'une nouvelle identité nationale.

et leur offrir compréhension et support? Enfin, à l'instar de Thérèse Vanier, médecin au St-Christopher's Hospice, comment faut-il mettre en pratique le «tout reste à faire»?

C'est suite à ce questionnement qu'un groupe multidisciplinaire de soignants et de bénévoles nous a rejoints pour réaliser ce que nous connaissions de l'Hospice St-Christopher, en adaptant à la saveur québécoise leur façon de faire. Ainsi est née la philosophie Sarrazin basée sur la personne mourante et sa famille. Pour nous, la mort est, à la fois, un événement naturel et un événement familial.

Progressivement, les soins aux mourants ont influencé les soins aux malades de sorte qu'aujourd'hui on trouve des services de soins palliatifs dans la majorité des hôpitaux. Par ailleurs, on compte maintenant 34 maisons de soins palliatifs au Québec, quelques-unes au Canada et d'autres en pays francophones. Une véritable révolution palliative tranquille.

Voilà donc comment cet événement providentiel a fait dévier ma carrière et a transformé un artiste du bistouri en artisan des soins de fin de vie.

Analyse d'expert

Voici une belle histoire qui nous montre que de conditions difficiles peuvent émerger de grandes réalisations. Louons ici l'ouverture, la curiosité d'un pionnier des soins palliatifs au Québec qui a su dépasser les aspects techniques de son travail de chirurgien pour s'attarder aux besoins médicaux, psychologiques et spirituels des patients en cette dernière phase de leur vie.

Tout un art que de discerner les limites de la médecine et de choisir de donner au patient tout ce dont il a besoin pour «vivre sa fin de vie»!

C'est un défi auquel tous les médecins sont conviés.

Pour quelques paroles de trop

Isabelle ROUQUETTE-VINCENTI, Paris/FRANCE

C'était à la fin août, une longue série de gardes s'achevait. Je faisais alors fonction d'interne en pédiatrie. Des circonstances particulières avaient poussé le chef de service à me propulser à ce poste alors que je n'étais qu'interne en médecine générale. L'interne de pédiatrie et la cheffe de clinique étaient toutes deux enceintes. J'avais fait de nombreux stages de pédiatrie, de réanimation pédiatrique et j'étais alors en stage de néonatologie.

Cette nuit-là, je suis appelée par la sage-femme pour une jeune femme gitane, accompagnée de toute sa famille, dont la grossesse n'a pas été suivie et qui est déjà à 8 cm de dilatation. À la maternité de Bordeaux, il n'est pas rare de voir arriver des femmes d'origine roumaine au moment des emplois saisonniers, comme les vendanges.

La famille est toujours très présente. Ce jour-là, ils sont plus de 15 dans le hall. Le mari est autorisé à entrer mais il préfère que ce soit la sœur qui accompagne notre patiente.

Elle crie beaucoup, refuse la péridurale, refuse l'examen, accepte quand même le «*moniroring*» du bébé (surveillance des bruits du cœur). Ce «*monitoring*» montre des signes de souffrance de l'enfant avec des bradycardies (ralentissemnents du rythme cardiaque) qui récupèrent après ls contractions et évoquent un encoulement du cordon ombilical autour du cou de l'enfant.

Une échographie est rapidement effectuée et met en évidence un fœtus de petite taille. L'interrogatoire de la maman est difficile: impossible de savoir si l'enfant est prématuré, quel est son terme.

Elle a déjà deux enfants en bonne santé et nous dit que les 2 premiers avaient un petit poids de naissance aux environs de 2 kg. Ils ont respectivement 4 et 2½ ans et sont gardés par la grand-mère.

Le travail se poursuit. L'obstétricienne est présente, car le *monitoring* du bébé ne s'améliore pas et la césarienne devient une alternative à considérer sérieusement.

La famille et la patiente refusent initialement cette intervention chirurgicale et c'est dans les cris et les pleurs que finalement un accord est donné et que l'équipe d'obstétrique, l'anesthésiste et l'équipe de pédiatrie (moi-même et la puéricultrice) poussons la femme en salle de césarienne.

Nous avons toutes les peines du monde à empêcher la famille de nous suivre au bloc et ils sont tous tassés devant la porte du bloc opératoire. À partir de ce moment, tout va très vite. Le bébé bradycarde, mais ne récupère plus! Une anesthésie générale permet de procéder à cette césarienne en urgence.

Lorsque le bébé est extrait de l'utérus, il est complètement amorphe et ressemble à une poupée de chiffon. Sa coloration est violine. Il est couvert de méconium (ses propres selles qu'il a émises dans l'utérus) et l'examen rapide montre qu'il est en arrêt cardio-respiratoire. Le massage cardiaque est effectué par les 2 pouces de la puéricultrice, pendant que j'aspire rapidement les sécrétions et le méconium de la cavité buccale pour l'intuber et le ventiler.
Très rapidement j'applique le protocole **ARRÊT CARDIAQUE**. J'injecte de l'adrénaline (médicament qui stimule l'activité cardiaque) dans la sonde d'intubation. Sans effet: le cœur ne repart pas. La ventilation est effectuée à l'aide d'un petit ballon avec de l'air enrichi en oxygène.

Devant l'inefficacité du massage et de la ventilation, j'essaie de trouver une voie et je pose un cathéter ombilical. On effectue alors une réanimation classique: adrénaline, massage cardiaque, alcalinisation et ventilation en oxygène pur. Le cœur repart quelques minutes et s'arrête de nouveau, quand tout à coup arrive une assistante (pédiatre libanaise) hurlant, après avoir laissé les portes du bloc ouvertes:

– Laisse-moi faire! Qu'est-ce que tu as fait?

Elle m'éjecte de la tête du bébé et recommence la réanimation pendant un délai qui me semble extrêmement long. À l'issue, le cœur repart sous des doses astronomiques d'adrénaline et de noradrénaline (autre tonicardiaque).

Elle m'apostrophe alors devant tout le personnel, assez fort pour que la famille entassée au bout du bloc l'entende et elle m'accuse de ne pas avoir fait une réanimation efficace du bébé.

Quand je sors de la salle, je me fais maltraiter par la famille dans le couloir et me fais accuser d'incompétente. Certains m'injurient, d'autres me menacent de mort.

Il est 4 heures du matin. Heureusement le reste de la garde se termine sans problème. L'enfant décède quelques heures après. Bien entendu la famille décide de porter plainte contre moi.

À 8h10, je suis convoquée avec le Dr L. (l'assistante) dans le bureau du chef de service qui nous demande de faire un rapport précis de ce qui s'est passé. Il me prend ensuite à part et m'explique que la situation est difficile, car je ne suis pas interne en pédiatrie. Je sens alors qu'il doute de ma prise en charge. Très inquiète, je retourne alors au bloc opératoire. Je vide les poubelles de la salle de réanimation bébé et, effondrée, j'essaie de me rappeler parfaitement ce qui s'est passé pour faire un rapport circonstancié le plus précis possible.

La puéricultrice qui m'a assistée est déjà rentrée chez elle. Je lui téléphone. Elle me réconforte en me disant que j'ai fait tout ce qu'il fallait. Je contrôle toutes les ampoules. Les drogues injectées sont bien celles que j'ai demandées.

Je note seulement que l'assistante a utilisé un nombre d'ampoules de drogues vasopressives bien supérieur à celui préconisé dans les protocoles (ces drogues font remonter la pression artérielle afin d'assurer le fonctionnement du cerveau).

Je reste dans le service quelques heures, préférant rédiger mon rapport rapidement pendant que c'est encore bien frais dans ma tête.

De retour chez moi, impossible de dormir. Cela fait pourtant plus de 36 heures que je suis éveillée. Je passe et repasse en boucle le «film de cette réanimation» en me demandant à quel moment j'ai pu commettre une erreur... une spirale psychologique sans fin!

Le chef de service m'appelle vers 20h pour m'annoncer que la famille a accepté l'autopsie et qu'il me demande d'y assister. Elle aura lieu 4 jours plus tard et en attendant, il préfère que je ne vienne pas à l'hôpital. La jeune femme est hospitalisée et la famille est très remontée contre moi.

Les 4 jours qui ont suivi ont été les plus longs de ma vie. Le mardi, je vais pour la première fois à l'institut médico-légal pour assister à l'autopsie d'un bébé de 2 kg pour lequel se pose la question de la qualité de ma prise en charge thérapeutique.

Je n'ai pratiquement pas dormi depuis 3 jours, et suis complètement déprimée en entrant dans le bâtiment.

Le médecin légiste est extrêmement avenant et me demande si j'ai déjà assisté à une nécropsie. Il me rassure après m'avoir questionnée sur toute l'histoire et me dit:

– On va comprendre ce qui s'est passé, c'est le plus important!

Le petit corps est posé sur la table et j'appréhende la suite. Mon cœur bat la chamade. J'ai des sueurs froides, mais il faut le faire. Nous nous habillons en tenue chirurgicale et il commence son examen tout en dictant poids, taille et examen complet. Puis il incise le thorax et l'abdomen et me dit presque immédiatement:

– Cet enfant n'était pas viable...

Il présentait une quasi agénésie pulmonaire (poumons non développés) du fait d'un énorme foie qui avait empêché leur formation.

Je m'effondre en pleurs, incapable de retenir mes larmes. Toute la pression accumulée depuis 5 jours se relâche. Je tremble des pieds à la tête et suis obligée de m'asseoir pour ne pas tomber de ma hauteur.

Le reste de l'autopsie montrera un enfant avec de multiples malformations digestives comprimant toute la cage thoracique, expliquant l'impossibilité de respiration spontanée et d'autonomie cardiaque à la naissance.

L'autopsie terminée, je cours à la maternité, j'appelle le chef de service pour lui donner les explications. Celui-ci m'assure avoir toujours eu confiance en moi.

Quelques jours après, je reviens dans le service. Tout le personnel m'accueille à bras ouverts, mais je décide de finir mon semestre d'interne comme une interne de médecine générale et de cesser les gardes de senior en pédiatrie.

Depuis, je suis devenue chef d'un service d'anesthésie réanimation d'adultes, mais je garde comme une cicatrice cet évènement marquant. Je ne manque pas d'expliquer à mes adjoints et mes internes à quel point des paroles inconsidérées peuvent entraîner des réactions dans les familles et être très délétères. Cela peut ensuite être à l'origine de situations difficiles voire médicolégales pour les collègues concernés et avoir des répercussions majeures sur leur avenir.

Analyse d'expert

Dans l'exercice de la médecine, il arrive que l'on soit exposé à des situations critiques urgentes pour lesquelles nous ne sommes pas totalement préparés. Le professionnalisme exige de nous d'intervenir au meilleur de nos connaissances, de recourir aux services les plus spécialisés disponibles et, en tout temps, d'éviter de blâmer les autres pour des circonstances exceptionnelles pour lesquelles personne ne pouvait faire davantage.

Les remarques ou les critiques non documentées concernant les actions d'un collègue médecin ou d'un autre professionnel de la santé peuvent avoir un effet destructeur sur celui-ci, surtout lorsqu'il a dû agir en situation d'urgence, de vie ou de mort, et dans des circonstances défavorables.

Les patients et leurs proches peuvent avoir du mal à vivre la situation aiguë. Il est déjà exigeant pour le médecin de les soutenir sans avoir à subir des critiques supplémentaires, surtout si elles ne sont pas fondées.

La Légende de l'hôpital

Julie MORIN, St. Hyacinthe/CANADA

Première journée de ma résidence en pédiatrie. Chacun des patients dits «chroniques» est attribué à un résident junior qui en sera le médecin répondant tout au long de l'année. C'est la première fois que je travaille dans un milieu anglophone. Mon anglais n'est pas fluide et je me sens quelque peu intimidée. J'hérite de Lucy, la «Légende de l'hôpital»! Étant donné la complexité du cas, je n'aurai qu'un seul de ces patients. On m'informe que Lucy n'est pas si terrible que l'on dit mais, qu'il faut savoir comment l'approcher. La journée qui s'annonçait fertile en émotions est en train de devenir carrément périlleuse.

Lucy est la seule patiente adulte de l'hôpital pédiatrique. Âgée d'une vingtaine d'années, elle vit à l'hôpital depuis ses tout premiers mois de vie. Elle souffre d'une amyotrophie spinale qui est une maladie héréditaire caractérisée par la faiblesse et l'atrophie des muscles. Elle est confinée au fauteuil roulant et les seuls muscles qu'elle peut bouger sont ceux de son visage ainsi que deux doigts de sa main gauche. Elle a une trachéotomie et doit être branchée à un respirateur lorsqu'elle dort en raison de la grande faiblesse de ses muscles respiratoires. Sa sensibilité au toucher est normale et son intelligence vive.

Je n'ai pas souvenir de mon premier contact avec Lucy, mais je me rappelle très bien de notre premier différend. Lucy avait présenté des mouvements suggestifs de convulsions. Des investigations avaient été faites et des anticonvulsivants prescrits à la suggestion du neurologue. J'avais été appelée un midi par son infirmière parce qu'elle refusait de prendre sa médication. J'avais fait irruption dans sa chambre pendant son dîner pour tenter de la convaincre de débuter son traitement. Elle m'avait boudée pendant quelques jours sans que j'en comprenne tout de suite la raison. J'ai finalement réalisé que Lucy, qui avait si peu de petits bonheurs quotidiens, avait été dérangée dans un moment qu'elle considérait sacré: le repas. Cette interruption en plein dîner, futile à mes yeux, l'avait heurtée. Je n'ai jamais oublié cette leçon.

Tout au long de cette première année de résidence, j'ai appris à déchiffrer les émotions à travers le regard de Lucy lorsqu'un simple rhume lui imposait son respirateur 24 heures sur 24. J'ai apprivoisé les discussions au sujet de l'arrêt des soins et de la mort. J'ai découvert toute la sensibilité qui peut se cacher derrière une carapace. J'ai appris qu'il existe toujours deux côtés à une médaille, soit le point de vue du patient et celui du médecin.

En 2e et 3e années de résidence, c'était un autre résident junior qui était le médecin répondant. Néanmoins, lorsque j'étais à l'étage, je passais dire bonjour à Lucy. Lorsqu'on cherchait où était rangé tel formulaire ou tel matériel ou encore quel était le nom de tel nouveau médecin, j'allais le demander à Lucy. Y ayant passé toute sa vie, c'était la source d'information la plus fiable de l'hôpital! Je l'ai rarement prise en défaut. Une sorte de jeu s'est ainsi installé au plus grand bonheur de Lucy.

En dernière année de résidence, je suis partie en France pour un stage de plusieurs mois. Un jour, j'ai reçu une lettre de Lucy écrite de la main de sa travailleuse sociale. Elle m'informait de sa décision de cesser son respirateur la nuit et anticipait sa mort avec sérénité. La lettre qui avait traversé l'océan (pas de courriel ni texto à l'époque) m'est parvenue après son décès. Je n'ai pu dire au revoir à Lucy, mais je la garde toujours dans mon cœur.

Je souhaite à tous les étudiants, résidents et jeunes médecins de côtoyer au moins une fois dans leur vie une petite Lucy.

Analyse d'expert

La résilience et la sérénité des enfants (ou des jeunes très malades ou handicapés) sont toujours bouleversantes. Elles nous ramènent à notre propre conception de la santé, du bonheur, de l'avenir. Nous qui sommes en général favorisés sur plusieurs plans.

Les méchants sont plus nombreux que les bons

Jacques EPINEY, St-Aubin/SUISSE

Il y a presque trente ans de cela, j'œuvrais dans l'ouest du Cameroun. On y appelle les habitants Ba-Miléké: les gens des collines. Là où, sur les pentes douces, caféiers et bananiers mêlent leurs verts et leurs ombres comme des amis. Là où les bougainvilliers rose carmin adossés à nos cases éclatent d'opulence. Là où la nuit tombe brusquement à 7 heures du soir comme un rideau de théâtre. On devine alors la lune blanche à travers le feuillage des eucalyptus géants qui racontent les folies du vent. La maladie se moque du jour et de la nuit.

Joséphine, la nouvelle infirmière, doit sonder un patient en rétention urinaire. Dans le minuscule office sombre et décrépi, elle ouvre une boîte de fer blanc où gisent dans une poudre de formol des gants de caoutchouc plusieurs fois utilisés. Elle en enfile une paire avec précaution. Ainsi équipée, elle ouvre une autre boîte où de vieilles sondes urinaires baignent dans un désinfectant, en retire une, quitte la pièce, ouvre la porte du balcon où donnent toutes les chambres, arpente le bâtiment, rouvre une porte, toujours avec sa sonde qu'elle tient dans sa main gauche et trouve son patient: un long cri retentit, témoignant d'une lancinante brûlure. Enfin, avec l'urine qui s'écoule librement, le patient soulagé rend à la nuit son silence.

Décidément, me dis-je, demain il faudra reprendre le b-a ba de l'asepsie.

Puis arrive du dispensaire une jeune maman moribonde, Marie-Thérèse, qui est en détresse respiratoire. Tout son corps noir est recouvert d'un fin grésil blanchâtre. À la manière des maîtres anciens, ceux dont nos professeurs rappelaient les exploits de pionniers de la médecine moderne, j'humecte mon index sur la langue, l'applique sur son bras blanchi et le porte à ma bouche: c'est bien de l'urée! Le fameux gel urémique. Je suppute une insuffisance rénale terminale avec un œdème pulmonaire chez cette jeune femme qui avait été complètement vidée par le choléra et réhydratée trop tard. Très vite, elle sombre dans un coma profond que l'oxygène que nous avions branché en dernier recours et faute d'autres moyens ne parvient pas à dissiper.

En pleine nuit, alors que la veilleuse était dans la chambre, elle se réveille subitement et dit:

- J'étais morte, je suis revenue. Dieu est miraculeux. Le docteur et l'infirmière ont beaucoup souffert sur moi, mais hélas les méchants sont plus nombreux que les bons. Occupez-vous bien de mes enfants.

Elle a fermé les yeux et elle est morte.

Quelques jours plus tard, un lundi, alors que l'épidémie de choléra fait toujours rage, nous entamons notre visite matinale avec Bernard, l'infirmier chef de l'unité.

Nous entrons dans une chambre où un homme est arrivé pendant la nuit, cadavérique et exsangue, méconnaissable, les yeux vitreux. Il est étendu sur un matelas de similicuir couleur café au lait, doté d'un gros trou en son milieu et repose sur un sommier de fer dont les ressorts s'entrecroisent à l'horizontale. Sous le lit, une bassine est placée pour récolter les déjections du patient qui se vide continuellement par le derrière. À son bras est arrimé un goutte-à-goutte, censé sauver sa vie.

Je l'examine. Puis, la tête et le buste courbés pour voir sous le lit à quelle vitesse s'écoulent les humeurs cholériques, et le bras droit étendu vers la mollette du cathéter, je m'applique à régler le débit de la perfusion.

- Il s'en sortira!

affirme Bernard d'une voix experte et avisée. Je jette encore un coup d'œil à son dossier et m'exclame éberlué:

- Mais c'est Alcide, l'ancien cuisinier de l'Hôtel de France qui doit commencer son service aujourd'hui même dans notre maison!

Deux semaines après, Alcide qui a recouvré sa santé, son visage joufflu et son regard brillant, est à pied d'œuvre dans notre cuisine.

Et chaque matin à son arrivée, en un rituel immuable, ma femme lui lance cet avertissement:

– Alcide, n'oubliez pas de vous laver les mains!

Ces événements, je les ai consignés dans mon grand cahier bleu laissant le temps, la vie et mon travail faire leur ouvrage. C'est aujourd'hui, en reprenant ces faits que je réalise combien, par son agonie et ses paroles, Marie-Thérèse prophétisait sur le mystère du mal: le mal que l'on subit et celui qu'on inflige.

Je ne peux m'empêcher de penser à ces mots du poète Charles Juliet que j'ai aussi copiés dans mon cahier: «Parfois je suis accablé, et mon esprit vacille de voir un jour notre triste humanité non pas s'employer à soigner les maux que depuis des millénaires elle ne cesse de sécréter, mais vaincre enfin ses effroyables démons, se réconcilier avec elle-même, vivre en paix, vivre en paix, mettre au service du bien commun les inépuisables énergies qu'elle consacre à multiplier les destructions, répandre la misère et le malheur, faire sauvagement couler le sang».

Dans ce coin du Cameroun, où j'ai passé deux ans avec ma femme et nos enfants et rencontré tant de personnes de bonne volonté, j'ai appris qu'au-delà du malheur et de la mort constamment présents, la vie ressurgit avec puissance dans la générosité de la nature, la joie et l'espérance des gens, leurs inlassables courage et énergie, les éclats de rire des femmes qui retentissaient dans tout l'hôpital. Oui, les éclats de rire!

J'espère qu'aucun mal ne pourra les faire taire définitivement.

Analyse d'expert

Le médecin est constamment confronté à la maladie, à la souffrance, physique et psychique, à la misère et la mort. Pour persévérer dans sa mission, car c'en est une, le médecin doit garder confiance en la vie, en l'homme et tirer leçon de l'étonnante résilience de certains patients.

Bref, croire à la force de la vie et à son pouvoir de renaissance.

Rêver du Prince charmant

Catherine ROLLAND, Saint Martin en Haut/FRANCE

C'était dans les premiers mois qui suivirent mon installation. J'avais vingt-huit ans. Je me plaisais dans cette campagne où j'avais grandi, et où j'avais choisi de revenir exercer une médecine de famille dès mes études achevées. Ici, les gens étaient durs au mal, ils ne consultaient pas pour un oui ou pour un non, pour un nez qui coule ou pour quémander un arrêt de travail abusif. Mes patients, c'étaient des agriculteurs, avec ce bon sens paysan que ceux des villes, à tort, considèrent de haut, un respect des valeurs d'avant et dans le fond, une aptitude au bonheur que secrètement je leur enviais.

Pour aller voir le Docteur, il fallait vraiment qu'ils soient malades. Il fallait que le mal traîne depuis des semaines et qu'ils n'arrivent pas à s'en sortir grâce aux remèdes de la grand-mère ou du rhabilleur du coin. Ma mission essentielle consistait à les retaper vite pour qu'ils se remettent au travail.

Autant dire qu'avant elle, j'avais eu assez peu affaire à ce qu'on appelle communément «les cas sociaux», les esquintés de la vie, ceux que le mauvais œil semble traquer où qu'ils aillent et qui accumulent les difficultés de tout ordre, à croire qu'ils le font exprès.

Elle arriva un après-midi, sans rendez-vous, alors que je m'étais réservé un moment de calme pour liquider ma paperasse. Elle resta en silence dans la salle d'attente vide, assise à l'extrême bord de la chaise avec son sac sur les genoux et son air de s'excuser d'exister, avant que je réalise qu'elle était là.

– Vous consultez, Docteur?

Sans beaucoup d'enthousiasme, je répliquai:

– Eh bien, normalement pas à cette heure-ci, mais puisque vous êtes là…

Hésitation légère, puis elle se décida à entrer. Elle s'installa dans la même attitude qu'en salle d'attente, les fesses au bord du vide et les mains crispées sur la bandoulière de son sac, comme si elle était prête à détaler au moindre signe d'agressivité de ma part. Sans aller jusque là, je pensais à ma commande de pharmacie inachevée et à mon courrier en souffrance, et je n'avais peut-être pas toute la réceptivité requise.

Alors elle raconta. À mi-voix, le ton bizarrement neutre, elle déballa sa vie, comme un fardeau trop longtemps porté dont on se débarrasse, avec soulagement et dégoût. Un père qui buvait, un frère, beaucoup plus âgé qu'elle, qui avait abusée d'elle des années durant avant qu'elle ose s'en plaindre, n'obtenant, évidemment, que d'être chassée de chez ses parents alors qu'elle n'avait que 17 ans. Elle avait vécu dans la rue, un peu, avant d'être recueillie par un homme qu'elle détestait parce que physiquement il ressemblait à son frère, mais qui l'avait logée, nourrie, et sans doute aimée à sa façon, avant de se lasser d'elle et de la jeter dehors à nouveau. Ensuite, nouvelle période d'errance, elle avait fait à peu près tous les boulots imaginables, et n'avait pas, disait-elle pudiquement, toujours couché dans un lit ni mangé à sa faim.

Puis elle avait rencontré le Prince charmant. Voilà comment elle l'avait appelé, le Prince charmant, m'expliquant qu'elle ne tenait pas à me révéler son prénom. Cette soudaine discrétion m'avait semblée drôle, déconcertante quand depuis 20 minutes elle se livrait à nu. Le Prince charmant était parfait. Il était doux, patient et attentionné. Il avait de l'argent, une belle maison, un frigo et des placards pleins. Six mois qu'ils étaient ensemble, six mois qu'elle vivait son conte de fée éveillée, qu'il la traitait comme sa princesse.

Je jetai un coup d'œil discret sur ma montre, tandis que le souvenir de mes formulaires de sécu à remplir s'imposait soudainement. Elle s'en rendit compte et accéléra le débit.

– Nous sommes très heureux. Le Prince charmant me donne tout ce que je veux, je ne manque de rien, je n'ai jamais été aussi comblée de toute ma vie.

Elle affirmait d'un ton de détresse qui me fit relever la tête.

– Mais… ?

Complétai-je, pressentant le drame.

Soupir.

– Mais je suis enceinte....

Je haussai un sourcil, je m'étais attendue à bien pire.

– Eh bien, c'est plutôt une bonne nouvelle, ça, non?
– Justement non. Il l'a bien spécifié. Pas d'enfant. Il me veut pour lui seul, une exclusivité, si vous voyez ce que je veux dire.
– Je vois ce que vous voulez dire...

Même si je ne voyais pas très bien, j'ajoutai aussitôt:

– Qu'est-ce que vous attendez de moi, exactement?

J'avais compris, bien sûr, mais je voulais le lui entendre dire. Elle s'y résolut, d'une très petite voix:

– Je ne peux pas le garder.

Il y avait dans son ton une fêlure, le désespoir contrôlé d'une femme programmée pour le malheur au point qu'elle ne se révolte même plus.

Alors je lui parlai. J'argumentai, je raisonnai, je me fis l'avocate de cet être en devenir. Parce que je supposais, sans en être tout à fait sûre, qu'au fond d'elle-même, elle le voulait, qu'elle était prête à abandonner le reste, le confort, l'aisance financière, et jusqu'au seul homme qui lui ait manifesté de l'intérêt au cours de son existence.

Je parlais et elle écoutait en silence. Je lui dis qu'il fallait qu'elle réfléchisse, qu'elle attende, qu'elle devait être bien certaine que c'était ce qu'elle voulait, parce qu'elle n'aurait probablement pas d'autre occasion d'être mère, ensuite.

J'avais oublié la paperasse, la sécu et puis l'heure. Ce fut elle qui m'interrompit, au milieu de mon monologue, en disant doucement:

– Je voudrais que vous me donniez l'adresse du centre d'avortement, maintenant.

Sa phrase me fit l'effet d'une gifle. Je m'étais crue si convaincante, si déterminée à l'empêcher de commettre l'irréparable pour de mauvaises raisons que je ne doutais pas d'y arriver. Mais le patient décide, le médecin ne fait qu'orienter.

Un peu mortifiée, je rédigeais la lettre pour le confrère du centre, la lui tendais en évitant de la regarder. Les salutations furent brèves, et elle partit sans se retourner.

La salle d'attente, entretemps, s'était remplie et je me précipitai sur le malade suivant, m'obligeant à ne plus y penser. J'y parvins, et je ne la revis plus au cabinet.

Un an plus tard, je me promenais avec mon fils au bord d'un petit lac de la région. Je croisai une femme que je ne reconnus pas, poussant un landau. Elle ralentit au moment où son regard accrochait le mien, puis lâchant brièvement la poussette où dormait son nourrisson, avec un sourire immense qu'à aucun moment elle n'avait eu pour me parler de sa vie rêvée et de son Prince charmant, elle me sauta au cou et elle me dit:

– **Merci!**

Analyse d'expert

«Mais le patient décide. Le médecin ne fait qu'orienter».

Voilà tout l'art de la consultation médicale. Le médecin possède des connaissances qu'il lui faut mettre au service des patients qu'il rencontre, mais au final, tout cela n'aura d'effet que si une véritable rencontre a lieu entre les personnes. Ce qui peut apparaître comme la meilleure solution pour le médecin peut ne pas avoir de sens pour le patient ou encore ce dernier peut ne pas être prêt à l'accepter.

Le vécu du patient est souvent complexe et très différent de celui du médecin. L'opinion du médecin, même si elle doit être fondée sur la science, peut être influencée de perceptions et de valeurs personnelles. C'est pourquoi, sauf en cas d'urgence de vie ou de mort, cette opinion ne peut prévaloir sur celle du patient, qui aura à vivre avec les conséquences de ses choix. L'écoute, le soutien, l'échange d'information et le respect des choix de vie du patient sont au cœur des rencontres médecin-patient et en constituent toute la grandeur.

Le non-dit ou l'histoire de chasse

Caroline OUELLET, Montréal/CANADA

À peine trente ans, je suis une jeune patronne, mais bardée de diplômes et tout juste débarquée de Lausanne après ma spécialité en soins intensifs.

Beaucoup de connaissances, quelques «textbooks» dans la matière grise, énormément de fascination pour la mécanique humaine.

La réanimation liquidienne, la protection rénale en chirurgie vasculaire, le calcul des gradients transvalvulaires, les pneumonies acquises sous ventilateur n'ont plus de secrets pour moi. Loin de moi la moindre parcelle de prétention, mais je suis plutôt fière et orgueilleuse de réussir, de performer. Confiante et surtout prête à relever les défis que je me propose de vivre en choisissant une pratique exigeante de soins critiques, là où tout est urgent et… intense.

Ce que j'ignorais encore, et ce que je découvre à peine après bientôt 7 ans de pratique, c'est que si l'étude «organique» de la médecine avait occupé plus de 10 ans d'études et de lectures, je n'avais jamais accordé la moindre importance au psyché. Au non-dit, à l'invisible, au ressenti, par le médecin, par le patient et par les familles.

Ce n'est pas très populaire, de toute façon, ni très «sérieux» d'aborder ça, dans un milieu de performance, le non-dit. Ça fait même plutôt… féminin. Et on blague là-dessus. On rigole. Et on passe à un autre appel. Quel beau mécanisme de défense, l'humour.

Toujours est-il que des tourments personnels m'incitaient en ce début de pratique à aligner passablement d'heures à l'hôpital, tant au bloc opératoire qu'aux soins intensifs. Après un weekend de soins intensifs bien rempli, me voilà de garde en anesthésie le lundi et on m'annonce en urgence un cas de dissection aortique: l'aorte descendante d'un homme de 62 ans qui était en forêt à la chasse aux chevreuils avec un de ses fils au moment des premiers symptômes.

Après avoir discuté du plan avec le chirurgien vasculaire de garde, je file aux soins intensifs pour évaluer mon patient. Un homme visiblement inquiet par ce qui lui arrive, mais qui collabore somme toute très bien à mon questionnaire pré-anesthésique, en compagnie de sa femme. Je leur explique les risques, les étapes après la chirurgie, le séjour aux soins intensifs en postopératoire. C'est avec un sourire soucieux, mais optimiste qu'il me dit qu'il a bien compris toutes mes explications.

Pendant le transport vers la salle d'opération, j'ai le cerveau qui fonctionne à vive allure: mon plan anesthésique est tout prêt, j'ai communiqué mes besoins techniques à tout le monde, mon inhalothérapeute, la perfusionniste. Le stress de la «débutante» remonte en moi devant ce «gros cas». Ce n'est que d'une oreille distraite (Ciel que j'y ai repensé longtemps, par la suite, à ce moment précis!) que j'entends mon patient me dire, comme pour lui-même:

– Vous savez, Docteure Ouellet, on avait tout un chevreuil, cette année… belle bête. Mon plus jeune fils était cencé venir avec nous, comme à chaque année, mais il n'est pas venu. Il aurait dû venir… il va s'en vouloir…

Je lui réponds par un:

– Bien non, Monsieur Beaulieu, ne vous en faites pas avec ça, en me demandant intérieurement comment cet homme qui s'apprête à subir une chirurgie urgente si délicate et à haut risque peut si mal canaliser ses préoccupations.

On entre en salle d'opération, et mon patient se tait subitement. Ses yeux s'écarquillent, il regarde autour de lui sans bouger le moindre muscle de son corps. Il répond seulement par signe de tête aux questions simples qu'on lui pose. Il est terrorisé. Au point de me dire tout bas pendant qu'on l'installe sur la table d'opération:

– Pouvez-vous m'endormir rapidement, Docteure Ouellet? Je n'aime pas beaucoup cet endroit.

La salle d'opération est un milieu plutôt froid et imposant pour les patients. Je le comprends et je le rassure du mieux que je peux avec mes phrases toutes prémâchées et on procède à la chirurgie.

Je vous épargne les différentes étapes chirurgicales, mais résumons en disant que nous étions tous très satisfaits de notre travail d'équipe, tant médicale que paramédicale. Après plusieurs heures de temps opératoire, arrive le moment tant attendu de l'émergence, où nous sommes soucieux de voir si les complications possibles sont survenues pendant la délicate manipulation des vaisseaux de la moelle. Y aurait-il une paralysie des membres inférieurs? Des complications cardiaques ou rénales?

Quand nous avons vu Monsieur Beaulieu ouvrir les yeux, s'éveiller sans douleur et en mobilisant aisément ses membres inférieurs, nous nous sommes tous tapé dans les mains. Nous avions réussi! L'expertise chirurgicale et anesthésique avait triomphé! Nous avions sauvé Monsieur Beaulieu!

Quel sentiment de surpuissance je ressentais à ce moment-là! Quelle arrogance face à la maladie! Quelle prétention! La vie s'apprêtait à faire un croc-en-jambe à la science.

Je transporte mon patient avec toute mon équipe aux soins intensifs, avec la hâte d'aller rassurer son épouse sur l'évolution postopératoire immédiate. J'arrive aux soins intensifs, et je suis accueillie par les infirmières avec qui je travaille lorsque je porte mon chapeau d'intensiviste. On placote, on jase, tout en transférant mon patient dans son lit. Je prends des nouvelles de mes patients du weekend, en leur expliquant quel «très beau cas» je venais de faire au bloc, avec quelle facilité Monsieur Beaulieu s'était réveillé, et qu'il avait bougé ses jambes, qu'il avait bien uriné et tout le reste.

Mais que se passe-t-il? Je réalise que mon patient n'est pas réveillé. Il somnole!

Perplexe, je cesse de badiner et je demande aux infirmières si elles ont donné quelque sédatif que ce soit à mon patient. Réponse négative. J'approche mon visage à quelques millimètres de son visage en lui disant à forte voix:

– Monsieur Beaulieu, réveillez-vous! Est-ce que vous m'entendez?

Et à ce moment précis, il ouvre ses yeux, plonge son regard dans le mien et me sourit paisiblement, sereinement. Il me répond un petit fluté et à peine audible:

– Oui, Docteure.

Le temps s'est suspendu entre nous. Pour une raison que j'ignore toujours, nos regards se sont accrochés. Combien de temps? Probablement pas autant qu'il m'a semblé. Mais encore aujourd'hui, je garde un malaise inexpliqué quand je repense à cet instant précis. J'ai eu l'impression de l'accompagner quelque part. Et qu'il tentait de m'expliquer où et comment.

Il me semblait bien et heureux. Était-il satisfait, comme nous, de sa chirurgie? Soulagé d'être tiré d'affaire? Content que sa chirurgie soit terminée?

C'est lui le premier qui a interrompu notre entretien silencieux. Quand il a fermé les yeux et que j'ai finalement tourné le regard vers son moniteur, il affichait une hypotension sévère que je n'ai jamais pu renverser. Après les manœuvres initiales de réanimation, un examen échographique transoesophagien a révélé une dissection rétrograde de toute son aorte ascendante avec une insuffisance sévère de la valve aortique. Aucune option chirurgicale possible après discussion avec le chirurgien cardiaque de garde en raison du greffon sur l'aorte descendante.

C'est sonnés et un discours assuré que nous avons annoncé à sa femme et à ses deux fils la complication très inattendue que Monsieur Beaulieu venait de faire, à notre grande surprise. Qu'ils pourraient le voir quelques minutes avant qu'on retire le respirateur. Qu'ils pourraient lui tenir la main pour l'accompagner pour son grand départ.

Le regard de Monsieur Beaulieu m'a longtemps habitée. Il m'habite encore. Ses paroles avant l'opération ont pris tout leur sens. Son malaise en salle d'opération annonçait le pire et mais mon inexpérience n'a pas su l'écouter!

J'espère seulement que son regard serein était le miroir d'une paix intérieure, celle que l'on se souhaite tous avant de trépasser.

Monsieur Beaulieu a été le premier d'une longue série d'expériences similaires, surtout aux soins intensifs. Mais c'est lui qui m'a appris que mon rôle de médecin ne se limitait pas seulement à aider les patients à guérir, mais aussi de les aider à mourir.

Les définitions se confondent aux soins intensifs quand on se bat pour la vie, pour la «qualité» de vie, contre la mort, contre la défaillance d'organes, pour le patient, pour les familles, contre l'inaptitude.

C'est finalement ça aussi, la médecine!

Une dualité.

Une succession de pour et de contre parsemés de science.

Analyse d'expert

Quelle belle façon de combattre l'ennemie première, la mort, que de se mettre en action, voire d'aller au-devant d'elle et de travailler par tous les moyens à la vaincre!

Les soins critiques, les interventions techniques périlleuses donnent au médecin un sentiment de contrôle et de domination sur la mort. Le caractère technique des soins, en particulier auprès de patients endormis ou comateux, donc incapables de converser et d'évoquer les émotions reliées à la fin de la vie, offrent un contexte favorable pour se distancer émotionnellement de la mort. Celle-ci devient déshumanisée, désincarnée.

C'est lorsque la mort s'approche du soignant et d'êtres qui lui sont chers que le médecin réalise sa propre vulnérabilité.

Derrière la façade stoïque qu'il affiche sur ses quarts de travail se trouve un homme ou une femme sensible, soumis aux mêmes enjeux que les patients et leurs proches qu'il a tenté de sauver plus tôt. Une telle expérience ne peut que changer l'exercice de la médecine, apportant plus d'empathie, d'humanisme dans la relation médecin-malade.

La trilogie d'Elliot Lake

Yvon MORRISSETTE, Québec/CANADA

La tournée de mes bedaines

J'ai commencé ma carrière médicale en juillet 1959 à Elliot Lake, Ontario, en pleine guerre froide entre les États-Unis et le bloc soviétique. C'était la course à l'arme atomique. On découvre de l'uranium à Elliot Lake. Les Américains disent aux Canadiens:

– On achète tout l'uranium que vous pouvez produire.

Le député de l'endroit n'est nul autre que l'Honorable Lester B. Pearson, premier ministre du Canada et futur prix Nobel de la paix. Un courtier de New-York arrive avec l'argent de Wall Street. Les ingénieurs et les architectes de l'Université McGill se promènent en hélicoptère au-dessus d'Elliot Lake et dessinent une ville. En l'espace de 18 à 24 mois, on ouvre 7 mines et on construit une petite ville capable d'abriter 15 000 personnes. Les salaires étant très élevés, de très nombreux Canadiens arrivent dans la région et s'établissent dans des parcs de maisons mobiles disséminés autour de la ville.

Sans expérience, du jour au lendemain, je me retrouve avec une clientèle obstétrique et 200 accouchements par année! Il n'était pas rare d'avoir 3 parturientes hospitalisées pour diverses raisons médicales. À la fin de l'après-midi, après ma clinique, je passais toujours par l'hôpital faire la «tournée de mes bedaines». L'hôpital était administré par des sœurs irlandaises très compétentes.

Un après-midi, j'arrive dans une chambre et je regarde la patiente: Seigneur! elle est exsangue! L'abdomen est distendu au maximum. Il s'agit d'un décollement prématuré du placenta avec une hémorragie intra-utérine mortelle. Je m'écrie:

– Vite Sister!, un soluté et du sang O négatif! Ça presse!

Branle-bas de combat, on fait préparer la salle d'opération.

Dans un petit hôpital régional, les ressources sont limitées.

Nous avions un excellent jeune chirurgien général, entraîné aux États-Unis, et une anesthésiste de Toronto. Le chirurgien est dans l'hôpital, mais la téléphoniste nous apprend que l'anesthésiste est en-dehors de la ville. Même sans expérience, je n'ai pas le choix. À l'Université Laval, dans le cours de médecine générale, on n'apprenait pas à intuber les patients. Donc, anesthésie au masque, embout entre les dents et me voilà anesthésiste. Protoxyde d'azote, cyclopropane, et surtout, ne pas oublier l'oxygène. Pas d'électrocardiogramme, pas de monitoring pour juger de la profondeur de l'anesthésie. C'était simple. Si la patiente voulait bouger, je remettais les gaz, puis je laissais seulement l'oxygène et puis si elle bougeait, je remettais les gaz et ainsi de suite. Pendant ce temps, le chirurgien pratiquait une césarienne d'urgence assisté d'une infirmière. Malheureusement, le bébé était mort, mais la maman a survécu sans aucune séquelle.

Analyse d'expert

Le médecin s'est retrouvé dans une situation excédant ses compétences reconnues. Cela arrive parfois, dans des circonstances exceptionnelles où les ressources compétentes manquent, en situation d'éloignement, en cas d'imprévu. Malgré le stress énorme que cela comporte, le médecin a une obligation de porter assistance à une personne en danger et c'est avec beaucoup de courage que le médecin est intervenu ici.

La satisfaction d'avoir sauvé la vie de cette dame compense certainement le stress ressenti, d'autant que l'on sent tout son attachement envers cette communauté.

Détresse humaine

Le médecin est souvent appelé à aider les gens hors du cadre de la médecine, surtout en région éloignée. À Elliot Lake, à l'époque, il n'y avait pas de palais de justice: seulement deux policiers, une maison mobile servant de poste de police et une cellule aménagée dans une autre roulotte, presque pas chauffée. Quelques jours avant Noël, les policiers, unilingues anglophones, me téléphonent, me demandant de venir à leur rescousse. Arrivé au poste, j'aperçois dans la cellule un jeune homme en sous-vêtements. Il avait démonté son petit lit de fer, s'était armé d'une pièce du lit, une barre de fer d'environ 5 pieds, avait fracassé le bol de toilette et frappait à tour de bras sur les barreaux de sa cellule.

C'est bien connu, les Canadiens-Français ont le juron facile. J'interpelle donc mon jeune homme par deux blasphèmes bien sentis:

– Veux-tu bien me dire ce que tu fais là?

Il est saisi. Je lui dis de rester tranquille, que j'allais tenter de l'aider. Il laisse tomber la barre de fer et s'asseoit sur ce qui reste de son lit. Je demande à la police de m'enfermer avec lui. Je m'asseoie à ses côtés et lui demande de me raconter son histoire.

Le jeune homme venait du Lac St-Jean au Québec. Il était venu dans la région pour se trouver un emploi. Ne parlant pas anglais, il n'avait pas pu se placer. Dans l'après-midi, il s'était arrêté à la taverne de l'hôtel pour boire une bière et une bagarre avait éclaté. Je ne sais pas qui était l'instigateur, mais on avait coffré le plus petit. Ce jeune homme du Lac St-Jean se retrouvait donc derrière les barreaux, quelques jours avant Noël. Il pensait à ses proches, aux tourtières, à la dinde, aux réunions familiales. Cela avait suffi à lui faire péter les plombs. Je lui dis:

– Reste tranquille! Je vais essayer de m'entendre avec les policiers pour qu'ils te laissent aller.

Les policiers ont accepté. Pour eux, l'affaire représentait tout un casse-tête car le palais de justice était à Sault Ste-Marie, à plus de 140 kilomètres vers l'ouest. Ils ont préféré se débarrasser du jeune homme et j'ai pu partir avec lui. Je suis allé le reconduire sur la route principale. L'auto-stop était populaire à l'époque. Je lui ai donné quelques dollars pour qu'il puisse manger en route, en lui souhaitant «bonne chance!»

Je n'ai plus jamais entendu parler de lui.

Analyse d'expert

La première mission du médecin est d'établir un contact avec la personne devant lui. Dans une situation aussi inusitée que celle-ci, le médecin a utilisé un langage populaire et choquant pour réveiller le jeune homme et le faire émerger de son enfermement dans la colère pour s'arrêter aux formules de politesse ou à des propos tenus dans une langue inconnue. On ne saurait recommander un langage aussi coloré en toute circonstance.

Mais cette fois, cela produit son effet et permet de résoudre la crise. Bel exemple de mise à niveau!

La dure réalité de l'isolement

Dès la première semaine de mon arrivée à Elliot Lake, j'ai été confronté à la dure réalité de la pratique médicale en milieu éloigné, sans la présence de spécialistes et sans tout le support technique dont nous disposons aujourd'hui.

En fin d'après-midi, je vois un jeune homme d'une vingtaine d'années qui fait de la température et qui ne se sent pas bien. Une radiographie pulmonaire prise à la clinique ne montre rien de particulier. Je lui administre une piqûre de pénicilline à action lente d'un million d'unités. C'était la «mode» à l'époque et je lui adresse les recommandations d'usage: Aspirine®, hydratation, etc.

Je rentre à la maison pour souper et je reçois un appel téléphonique m'informant que le patient que j'avais vu en fin d'après-midi avait beaucoup de douleur à l'endroit où je lui avais fait la piqûre: il ne pouvait même pas rester couché. Je retourne le voir à son domicile. Je l'examine. Le site de l'injection de pénicilline est le bon: très haut, loin du nerf sciatique. Je lui injecte du Demerol®, dérivé de la morphine, dans l'autre fesse. Je m'en vais au bureau. À l'époque, je faisais du «sans rendez-vous» trois soirs par semaine.

Une heure plus tard, je reçois un nouvel appel téléphonique me disant que mon patient est très souffrant et qu'il n'en peut plus.

Notre hôpital étant en construction, nous n'avons qu'un dispensaire. Je téléphone donc à un confrère plus âgé dans une petite ville située à 30 kilomètres à l'ouest et qui disposait d'un hôpital régional depuis plusieurs années. Je lui explique le cas:

– Pas de problème, me dit-il. Envoie-moi ton patient. Je m'en occupe.

Le lendemain, mon confrère me téléphone pour m'informer qu'il n'avait pas pu sauver mon patient, malheureusement décédé. Je suis complètement bouleversé. Que s'est-il donc passé?

Quelques jours plus tard, il me téléphone à nouveau pour me donner le résultat de l'autopsie. Le jeune homme était mort de la poliomyélite bulbaire. Selon les explications qu'on m'a données plus tard, dans le cas de poliomyélite bulbaire, lorsqu'un muscle est blessé, cela donne lieu à des contractions musculaires très douloureuses. On aurait là l'explication des douleurs ressenties aux sites d'injection de la pénicilline et du Demerol®.

Ce sont des expériences pénibles comme celle-là qui m'ont convaincu de délaisser la pratique en milieu éloigné et de poursuivre le rêve que j'avais caressé pendant mon internat, mais dont j'avais dû reporter la réalisation faute de moyens financiers, celui de me spécialiser en oto-rhino-laryngologie.

J'ai pratiqué cette spécialité pendant 40 ans. Hormis quelques trachéotomies d'urgence, je n'ai jamais vécu de situation aussi dramatique que celle dont je viens de vous décrire la triste issue. Elle s'est passée il y a plus de 50 ans à Elliot Lake. J'en garde un pénible souvenir, mais il m'a fait quand même du bien de vous la raconter.

Analyse d'expert

La pratique de la médecine générale est particulièrement exigeante. Elle requiert des connaissances solides dans de multiples domaines, surtout si l'on pratique en milieu éloigné des grands centres, sans ressources spécialisées de proximité. Ce type de pratique est très stimulant et fort gratifiant. Mais il comporte son lot de défis et de déceptions, en particulier quand certaines conditions évoluent défavorablement.

Dans la situation décrite ici, le patient est décédé d'une condition rare et dont l'évolution semble avoir été fulminante. Le médecin a agi au meilleur de ses connaissances.

Le second médecin, bien que plus expérimenté, n'a pas pu, non plus, sauver ce patient. Le sentiment d'échec, de culpabilité et d'impuissance peut amener certains médecins à reconsidérer leur carrière, par exemple en se dirigeant en spécialité, où, par le fait de ne travailler que dans un domaine, le médecin peut avoir le sentiment d'être en meilleur contrôle de ce qui se passe pour ses patients.

En mouvement

Philippe FURGER, Vaumarcus/SUISSE

Les flocons tombent dans une région montagneuse et éloignée de Suisse. Comment peut-on se trouver en région éloignée alors que la Suisse, avec sa superficie de 0.03 % de celle de la terre, est l'un des plus petits pays du monde? Une particularité de ce coin magique situé à plus de 800 mètres d'altitude est que, durant plus de deux mois par an, le soleil y est invisible. Les montagnes créent une sorte de majestueuse couronne autour de ce village. On le nomme Promontogno. Se trouvant au Tessin, à la frontière de l'Italie, on y parle l'italien. Cette langue, avec les «r» roulés et un ton mélodieux, dégage un charme particulièrement agréable à entendre.

De temps à autre, on me contacte pour remplacer le seul médecin qui y travaille jour et nuit, 365 jours par année, et ce, depuis plus de 15 ans. Eh bien, oui! Il existe encore des médecins passionnés et dévoués.

Mon travail, comme «*Dottore*», consiste à offrir les soins ambulatoires à la population des 13 communes de la région. Le soir, pour me «détendre», j'ai le privilège de faire la tournée des patients hospitalisés. Le reste du temps, je suis de garde pour l'ensemble de cette région montagneuse se situant entre 800 et 2 000 mètres d'altitude et englobant environ 1 200 habitants.

Je consulte alors dans mon petit bureau, dans lequel une troisième chaise trouverait difficilement sa place. S'y croiser pose un problème! Mais ce manque d'espace ne dérange pas, bien au contraire. Mon petit local est comblé par d'une chaleur humaine intense. Son exiguïté empêche la mise en place d'une éventuelle «défense» dont chaque médecin souhaiterait parfois disposer. L'authenticité et la confiance aveugle de mes patients sont aussi indescriptibles qu'agréables. C'est un havre de paix dans lequel la qualité des soins individuels prime clairement.

Il est 8h du matin. Je consulte alors dans la grande salle de suture à côté de mon charmant bureau, simplement parce que ma patiente, accompagnée par son mari, souffre d'une maladie exigeant «beaucoup d'espace». Vous allez très vite comprendre pourquoi.

Les deux entrent alors dans la salle. 68 printemps à son actif, cette patiente manifeste une forme de maladie de Parkinson sévérissime se traduisant par des mouvements très amples, imprévisibles, non coordonnés, quasiment grotesques, et tout ça, sans cesse. Sans cesse!

Pour lui dire bonjour, j'essaie d'attraper sa main. En vain. J'aurais envie de la serrer fermement au niveau des épaules pour mettre fin à cette hyperactivité motrice qui déstabilise un peu notre premier contact. Mais je n'ose pas. Je m'adresse alors à elle en disant:

– *Buongiorno! Signora, sedete vi per favore. Come sta?*

Évidemment, la patiente est incapable de s'asseoir, tellement elle tremble. Le mari se tient debout proche de son épouse. Il est très calme, m'offrant un regard chaleureux et intense. Il attend de voir comment je vais agir et réagir. Je ressens l'ombre d'une incertitude face à ma capacité de gérer cette situation.

Il est vrai que ce sont des circonstances peu habituelles, mais le phénomène du «handicap» m'a toujours interpellé pour ne pas dire fasciné. Au fond, quel être humain ne souffre pas d'une manière ou d'une autre d'un handicap quelconque? Le motif de la consultation est simple: il s'agit de voir si le énième changement de médication proposé par un groupe de neurologues porte fruit. Inutile de préciser que cette patiente constitue vraiment un «cas» très complexe et difficile à traiter. Je reporte alors mon entretien vers la patiente:

– *Allora Signora, sta meglio con i nuovi medicamenti?*

La patiente comprend bien ma question: je veux savoir si le dernier changement de médicament est bien supporté et si elle va mieux. Dans cette grande pièce, un long moment sans réponse accentue la perception de l'agitation extrême du corps de la pauvre dame.

Les bras, le torse, les jambes, la tête, la langue.... Tout bouge! Vraiment tout! Le mari brise le silence accablant et me précise que ces mouvements persistent jour et nuit, sans cesse. Pour les repas, il faut fixer sa tête soit avec les mains, soit avec des planches de bois, sans la blesser bien entendu. De temps en temps, il faut coiffer son épouse d'un casque pour la protéger. Les barreaux aux côtés des chaises et du lit font partie du décor de la chambre à coucher depuis plus de 20 ans. Je vous fais grâce des détails sur les difficultés liées aux besoins quotidiens et des soins intimes.

Pendant que le mari me raconte tout cela avec force, détails et images, j'essaie maladroitement de cacher mes larmes en feignant d'être enrhumé. Je me demande quelle force habite cet homme pour qu'il puisse continuer à vivre sa propre vie. Comment a-t-il pu sacrifier ainsi sa vie durant tant d'années pour subvenir aux besoins de sa femme bien-aimée? Quelle incroyable compassion, quelle abnégation! Je n'ose lui demander à quelle potion magique il a recours pour affronter et surmonter pareille épreuve.

Mais il faut croire que, par un jeu de communication non-verbale mystérieux, il perçoit que je veux connaître sa recette pour arriver à ce stade de maturité, car il me dit à voix basse et avec un petit accent italien:

– Savez-vous, *«Dottore»*, c'est vrai que la vie matrimoniale avec ma femme est particulière, mais c'est ainsi que je l'aime. Sa maladie fait partie de nous deux. Nous affrontons ensemble les aléas de la vie.

Avec un discret sourire, il rajoute:

– Soyez rassuré, *«Dottore»*, nous vivons aussi de très beaux moments... le destin n'échappe pas au principe de la médaille, ...il a aussi ses deux côtés.

Viscéralement touché et secoué par ce témoignage, je poursuis ma consultation par un examen neurologique habituel. Après avoir consulté les notes de mon collègue, je réalise que mes résultats ne diffèrent guère des siens. Je termine alors cette consultation en m'adressant une dernière fois à ma patiente:

– *Cara Signora, sembra che i nuovi medicamenti siano efficienti. La malattía non progrede molto. Penso che sia giustificato continuare cosí. Cosa ne pensa?*

Le mari hoche la tête. J'interprète les gestes saccadés de la patiente dans le sens d'un «oui». Elle est d'accord pour continuer à prendre cette nouvelle médication puisqu'elle semble bien tolérée et que la maladie ne progresse pas.

Je m'incline, le cœur serré. Un autre grand moment, rempli d'émotion et de communication non-verbale.

Le mari emmitoufle doucement et affectueusement sa femme et ils partent comme ils sont venus: humbles, harmonieux et unis.

S'il m'avait appartenu de dresser une facture pour cette consultation, je me la serais adressée à moi-même au montant équivalant à une vie entière de consultation.

Analyse d'expert

La compassion, l'empathie, l'admiration pour cette résilience hors du commun ont franchi la barrière de la communication entre le médecin et ce couple si intimement éprouvé par cette maladie grave, arrivée aux limites des options thérapeutiques.

Comme il est difficile de se buter aux limites de nos moyens quand on est formé pour guérir les maux des autres et tellement désireux de le faire!

Ce sont des personnes comme ce couple qui donnent envie de pousser plus loin la recherche pour trouver le remède et alléger leur souffrance.

«Toé, tu bouges pu!»

Alain VADEBONCOEUR, Montréal/CANADA

Hurlant, Hercule se démène, frappe tout le monde, nous crache dessus et essaie par tous les moyens de se dégager de notre emprise, complètement paf. Même si l'équipe se donne à fond, le colosse est non maîtrisable (au lieu de «incontrôlable») et nous sommes en perte de contrôle, ce qui n'est jamais une bonne nouvelle en salle de choc, surtout au milieu de la nuit.

Là où je pratique aujourd'hui, à l'Institut de cardiologie, une scène aussi violente est rare, les cardiaques étant généralement des gens plutôt raisonnables. Mais à l'urgence de l'hôpital Pierre-Boucher, sur la Rive-Sud, où j'ai passé les 10 premières années de ma vie d'urgentologue, c'était la routine, comme dans toutes les urgences générales, surtout les soirs de fin de semaine. Je dois bien l'admettre, je m'ennuie un peu de situations extrêmes, qui représentaient à chaque fois un défi collectif, où il fallait parfois être créatif.

L'une des plus mémorables prises de contrôle s'y est déroulée devant mes yeux, une nuit de vendredi, généralement la pire, où les chauffards bourrés d'alcool se défoulent au volant de leur bagnole, persuadés qu'ils conduisent quelques chars romains dans une arène imaginaire. À 3 heures du matin pile, à la fermeture des bars, les paramédics nous annoncent l'arrivée d'un jeune accidenté qui vient de se planter, pour une raison inconnue, dans le salon d'un petit bungalow situé pas très loin. La mère de famille, terrifiée par l'intrusion, a appelé les secours avant de se réfugier chez la voisine avec ses deux enfants.

En nous préparant à son arrivée, nous entendons les sirènes de l'ambulance remonter la rue près de l'hôpital, puis le grondement du puissant véhicule grimpant la rampe d'accès de l'urgence, enfin des cris intenses, informes et inquiétants qui s'amplifient dans le couloir menant jusqu'à la salle de choc, où notre équipe se trouve.

Quand les portes de la salle glissent, nous figeons sur place: le jeune homme en question, aux cheveux blonds tondus, tatoué de partout. C'est une armoire à glace, un type vraiment immense, complètement bourré, l'air hagard, dont le niveau de contact avec le réel apparaît plutôt sommaire. Il est sous l'effet du PCP*, d'après les paramédics. Substance proche de la kétamine, ce puissant anesthésiant, que nous utilisons régulièrement à l'urgence, a le fâcheux effet d'entraîner une dissociation avec la réalité et surtout, une insensibilité à la douleur, ce qui n'est pas souhaitable quand le but est justement de terrasser un monstre. Les paramédics roulent vers nous ce «taupin» qui gueule comme une bête menacée, assis carré dans sa civière, le collet cervical de travers, les sangles de rétention à moitié arrachées et les pieds nous lançant des savates brutales. Il nous faudra maîtriser un taureau furieux qui se donne en spectacle au milieu de notre arène.

Bien sûr, le personnel est formé pour les techniques d'immobilisation permettant d'éviter les blessures. Mais cette nuit-là, comme l'équipe est uniquement composée de femmes assez menues et que je ne suis pas particulièrement gaillard, je me demande bien comment tout ça va finir. Immédiatement j'appelle des renforts sur les autres départements. En attendant, on essaie de lui injecter un calmant puissant, l'Haldol®, ce tranquillisant majeur qu'on appelle entre nous «vitamine H» et qui peut transformer n'importe quelle brute en bon citoyen, triant son recyclage et nettoyant chaque samedi sa voiture. Mais encore faut-il pouvoir planter la seringue dans la masse du bifteck qui saute devant nous comme dans une poêle brûlante.

Tant bien que mal, tout le monde s'y met. Nous réussissons le transfert sur notre civière de contention, mais dans le tumulte, une jeune infirmière reçoit un coup de pied en plein visage qui lui

---

* PCP (phéncyclidine) est un ancien médicament utilisé comme anesthésique durant les années 1950. Il modifie les sensations et les perceptions (hallucinations). Il est aussi appelé «angel dust», «peace pill», «fairy dust» ou encore «cristal». Depuis 1978, sa fabrication est interdite.

ouvre la lèvre, pendant que notre patient beugle toujours, pas rassurant du tout, son discours décousu mais chargé de catholicisme:

– Câlice! Lâchez-moé!... Mes hosties! Mes tabarnak!... M'a tout' vous tuer!... Lâchez-moé donc, calvaire!

Même si la situation frôle le chaos, nous arrivons à découper les vêtements sales et tachetés de sang, puis une première injection d'Haldol® trouve le chemin de sa cuisse en forme de tronc d'arbre, sans effet apparent. Les infirmières cherchent ensuite fébrilement des veines à son bras gauche, que deux préposés ont réussi à saisir un moment. Mais il les envoie valser, redouble de coups et s'agrippe à tout ce qui bouge. C'est alors que Gertrude, l'infirmière-assistante de nuit, rappelée d'urgence au micro général, revient de sa pause.

Gertrude est une excellente praticienne au caractère un peu dur, de celle qui a passé trop de nuits aux urgences, où elle a tout vu et où rien ne lui fait peur, pas même ce Goliath, qui de surcroît menace l'équipe, ce qu'elle n'apprécie pas du tout. Après avoir jeté un coup d'œil à la bouche de l'infirmière blessée, qu'elle dirige vers la salle de point, elle enfile ses gants et s'approche à son tour du rodéo et de l'homme maintenant complètement nu. Elle prend tout de même une seconde pour apprécier ce corps d'athlète, visiblement travaillé avec grand soin et sans doute quelques substances. Elle constate aussi que ce n'est pas du toc: ceux qui s'accrochent à ses membres sont soulevés de terre à chaque mouvement, tandis que le paramédic qui essaie de maintenir la tête en place a les doigts blanchis à force de presser sur le crâne. S'il y a fracture cervicale, l'homme risque de devenir quadriplégique sous nos yeux.

Gertrude observe la scène un moment, cherchant la faille et mûrissant son plan d'attaque. Je l'observe ensuite se déplacer furtivement jusqu'au milieu de la civière, comme un chat, fixant sans arrêt l'homme dans les yeux, de ce regard incisif que j'ai appris à respecter avec le temps. Soudain, sans dire un mot, elle bondit en l'air! Sa petite main osseuse, lancée au-dessus de la scène, fond en plein centre de la civière, directement sur le corps de l'éphèbe, plus précisément sur le généreux pénis exposé, qu'elle empoigne avec une fermeté qui ne laisse place à aucune interprétation sur ses intentions. Puis, d'une voix stridente, qui enterre, je ne sais trop comment, tout le brouhaha, elle hurle une phrase ne laissant planer aucun doute sur son niveau d'autorité:

– Toé, tu bouges pu!

C'est alors que se produit un incroyable phénomène, revirement que nous n'espérions plus, moment surnaturel comme il en survient de temps en temps dans les urgences: sans doute inspiré par un instinct de survie plus fort que le PCP qui brouille son cerveau, Hercule prend soudain conscience de sa vulnérabilité et s'immobilise d'un coup, dans la position de l'étoile, sous l'emprise de la petite main judicieusement plantée au cœur de l'action. Figé, les yeux apeurés, sa gueule ouverte laissant encore couler la bave mais n'émettant dorénavant plus aucun son, l'homme est sidéré par cette Méduse aux yeux de feu. Je pense alors aussi à l'image alternative d'un chiot rencontrant dans un couloir un dragon ou encore à celle de Job anéanti par les fléaux de Dieu, mais je n'ai pas le temps d'élaborer.

Devant ce stupéfiant renversement des rôles, nous ne pouvons que nous taire, admiratifs devant l'audace, la simplicité de l'idée et la précision du geste. Du grand art! Et lorsque l'ex-révolté, redevenu patient, fait mine de briser par un mouvement de hanche l'harmonie ainsi retrouvée, Gertrude resserre simplement l'étreinte, en ajoutant d'une voix sèche à l'intention du propriétaire de l'organe kidnappé:

– Tiens-toi tranquille, que je t'ai dit!

Et l'homme, redevenu simple mortel, de se soumettre sans condition.

Retrouvant nos esprits, nous profitons de l'accalmie pour reprendre un peu le contrôle, d'abord en reposant rapidement les contentions arrachées, ensuite, grâce à l'agilité d'une infirmière qui réussit en quelques secondes à planter un gros cathéter entre deux tatous immondes, en injectant 10 mg de vitamine H, dose que je demande prudemment de répéter illico. Après quelques minutes, quand le costaud se met à somnoler comme un enfant, Gertrude relâche enfin son emprise, reculant de quelques pas, arborant un air satisfait. L'œil pétillant, elle nous gratifie d'un bref sourire, manifestation plutôt rare chez elle, avant de quitter la salle de choc. Nous avons finalement diagnostiqué chez notre patient une fracture vertébrale dans la région dorsale, qui heureusement ne s'est pas aggravée durant l'échange musclé.

Plus tard dans la nuit, j'ai remercié Gertrude. Elle avait évité le pire, d'une manière peu orthodoxe, j'en conviens, mais sans causer la moindre blessure, sauf peut-être à l'orgueil du patient, ce dont il n'aura sûrement gardé aucun souvenir.

J'ai convenu avec elle de ne pas divulguer les détails de l'incident, disons pendant au moins une bonne vingtaine d'années.

C'était en 1994 et mon souvenir est encore vif.

Analyse d'expert

Comment transiger avec une personne dont l'esprit est sous l'emprise de substances psychoactives d'une telle puissance? Difficile de rejoindre la personne quand le contact avec la réalité est altéré à ce point. Et que dire de cette force physique décuplée faisant sauter toute forme de limitation, même appliquée dans un but de protection?

L'équipe se doit de trouver un moyen d'atteindre le patient, afin de le convaincre de se calmer et de porter attention aux manœuvres que sa condition sérieuse exige. La médication tranquillisante d'urgence peut être d'une aide précieuse, mais encore faut-il pouvoir l'administrer. Dans la situation décrite ici, l'ingéniosité (et l'audace) de cette infirmière a sauvé la situation! On ne saurait bien sûr inscrire cette technique dans un guide d'intervention officiel, mais on peut certainement inciter les équipes traitantes à l'initiative, voire l'originalité quand les méthodes habituelles ne portent pas fruit!

Si j'avais su

Isabelle ROUQUETTE-VINCENTI, Paris/FRANCE

Encore une fois, je travaille à la maternité en tant que pédiatre. La journée a été infernale! Il y a eu de nombreux accouchements difficiles. J'ai dû transférer trois bébés en néonatologie, à l'étage supérieur.

Il est toujours très pénible de séparer un bébé de ses parents. La maman étant en surveillance en salle de naissance pendant quelques heures, seul le papa peut suivre le bébé, mais en même temps, il a du mal à abandonner sa femme très inquiète, voire angoissée!

Habituellement, le père fait le yoyo entre les deux services… et est en pleine détresse.

J'ai pris l'habitude, quand la salle de naissance est calme, de monter voir les bébés que j'ai transférés pour pouvoir donner des nouvelles «réelles» aux parents et leur expliquer le plus simplement possible pourquoi le bébé est en néonatologie.

Je suis en train de revoir un petit prématuré, toujours intubé et ventilé quand je suis appelée en salle de naissance: un bébé est en souffrance et on appelle le pédiatre au box 6.

Je descends en courant par les escaliers pour arriver plus vite en salle. L'accouchement a lieu par voie basse. Le bébé est déjà engagé. La césarienne est donc impossible. La maman est épuisée, elle ne pousse pas bien et la tête est visible. L'obstétricien est là. Il décide d'extraire l'enfant avec des forceps. Dans la pièce, tout le monde est fébrile, l'inquiétude est à son maximum.

Notre crainte est que le bébé décède.

Très rapidement, le bébé est extrait et on me le confie. Il est bleu, enduit de méconium et de sang, et est complètement amorphe. Il est considéré comme en état de mort apparente. On l'installe sur la table de réanimation. Je me mets derrière la tête qui est positionnée vers moi dans la têtière. Nous confirmons qu'il ne respire plus, que le cœur est arrêté et nous commençons la réanimation après avoir rapidement nettoyé ses voies respiratoires.

Je l'intube pour le ventiler et lui injecter de l'adrénaline. Le massage cardiaque est effectué par la puéricultrice et rapidement, la réanimation s'avère efficace. Le cœur repart et une ventilation spontanée apparaît assez vite. Au bout de quelques minutes, la ventilation s'améliore suffisamment pour qu'on procède à l'extubation. Puis, le bébé émet ses premiers petits cris.

La puéricultrice commence les soins et retourne le bébé qui était à l'envers sur la table de réanimation et que nous ne voyions pas de face.

Et là, désespoir!
Le bébé est trisomique: son visage est typiquement lunaire avec des yeux bridés, alors que les parents n'ont aucun trait asiatique.

Nous nous regardons en silence.
Je confirme le diagnostic en regardant les paumes de ses mains et en constatant qu'il y a un seul pli palmaire. Je dois annoncer aux parents que leur bébé que j'ai réanimé est un «mongolien».

Le papa est resté dans la salle d'accouchement avec son épouse et quand je reviens, je sens dans leur regard une reconnaissance qui me dérange beaucoup.

Je prends toutes les précautions possibles et leur explique que leur bébé est vivant, mais qu'il a une petite anomalie, qu'on ne peut pas savoir comment cela va évoluer, qu'il y a différents degrés d'autonomie chez ces enfants.

La femme se met à pleurer et le papa m'accable avec cette question:

– Pourquoi l'avoir réanimé si c'est un handicapé mental? Vous rendez-vous compte de ce que vous avez fait?

J'essaie de leur expliquer que nous ne pouvions pas le voir avant de l'avoir nettoyé, car le bébé était enduit de sang et de selles et qu'il était impossible de discerner ses traits. De plus, l'urgence était telle que si on avait perdu des minutes précieuses, on aurait risqué d'avoir des séquelles neurologiques!

La discussion est impossible: ils sont perdus dans leur douleur. Ils refusent de voir le petit et décident de l'abandonner. Ils ne monteront pas non plus en néonatologie pendant 48 heures. Une psychologue les accompagne et les voit régulièrement. Finalement, après réflexion, ils acceptent de le voir et de s'y attacher, renonçant à l'abandon.

Je n'ai pas eu le courage de les revoir.

Vingt ans plus tard, je me pose les mêmes questions:
- Qu'aurais-je pu faire de mieux?
- Aurais-je interrompu la réanimation si j'avais posé le diagnostic?

Je pense souvent à ces parents et, malgré moi, j'éprouve encore un sentiment de culpabilité de les avoir déstabilisés et pour avoir détruit leur avenir avec un enfant handicapé dont j'espère seulement que le handicap n'est pas trop important.

Il doit avoir environ 20 ans maintenant. Qu'est-il devenu? Cette histoire restera toujours gravée dans ma mémoire comme un échec dans mon cursus, non compensé par toutes les fois où nous avons pu sauver un bébé, au grand bonheur de sa famille.

Analyse d'expert

Après une réaction de choc initial, les parents semblent avoir accepté cette situation, qui leur a certainement apporté une part de difficultés mais aussi de beaux moments. La venue d'un enfant handicapé peut être inattendue et exigeante. Elle ne signifie pas pour autant la fin de toute vie familiale et de toute perspective de bonheur.

Comme médecin, on veut toujours le meilleur pour nos patients et pour leurs proches. Et l'on se doit d'agir dans cette optique. Mais des situations imprévues peuvent venir bouleverser les attentes. Et que veut dire le meilleur? Cela ne signifie pas la perfection en toute chose, l'absence d'épreuves.

Pour surmonter de telles situations, le médecin peut parfois s'inspirer de la résilience des patients eux-mêmes et de leurs proches.

Leçon d'humilité

BONUS

Marcel GILBERT, Québec/CANADA

Notre histoire débute à l'aube des années soixante-dix. En effet, j'ai alors eu ce privilège d'être résident en formation à Montpellier dans le service du professeur Paul Puech, le père de l'électrophysiologie endocavitaire. Dès lors, il est devenu possible de disséquer le système nerveux du cœur à l'aide d'une électrode introduite dans la veine fémorale et dirigée à la jonction cavo-tricuspidienne.

Fort de cette expertise, je suis recruté par l'Université Duke en Caroline du Nord pour mettre sur pied un laboratoire d'électrophysiologie intra-cardiaque. Après 3 mois de labeur intense, j'avais cette obligation de parfaire mon anglais jusqu'alors théorique, dans un État où l'accent n'est pas celui de Londres ou de New York.

On me demande donc de faire une présentation un samedi matin à une plénière où tous les spécialistes en médecine sont présents. Je m'exécute (sans jeu de mots) devant un auditoire très attentif et sympathique à cet individu à l'accent étranger.

J'ai à peine terminé qu'un certain David (aucun lien avec la Bible) qui a aussi une formation en génie électrique, se lève non pas pour une question, mais pour commenter tout simplement:

– Monsieur, tout ce que vous avez dit est du «placotage». Il n'y a rien de prouvé et de crédible dans cet exposé.

Silence dans la salle.

Je suis là, debout, sidéré, assommé, incrédule, au bord des larmes. Soudain, Gallen, le directeur de l'unité coronarienne se lève, rouge de colère. Il fustige l'individu et le traite d'incompétent, d'impoli et d'ignare. Robert, le directeur de l'unité de recherche, intervient lui aussi pour ajouter des reproches certes non élogieux. Ce même jour, vers 15h, je reçois un appel du directeur de Duke, le Dr Andy Wallace, qui nous invite à souper le soir même, moi, mon épouse et mon fils alors âgé de deux ans.

Quelques semaines plus tard, David, ignoré de tous, quittait l'Université Duke pour sombrer dans l'oubli.

Ce pardon inconscient m'a permis de ne pas ruminer mon passé, de bien vivre le présent et de ne pas handicaper mon futur.

Petit mot de l'éditeur:

Connaître Marcel GILBERT est un immense privilège.

Cet homme est plein d'humour, humble jusqu'au bout des doigts, d'une brillance scientifique sur deux pattes, d'une qualité d'écoute à faire rêver le meilleur psychothérapeute, tout cela sous un seul chapeau. Bravo!
Avec sa famille, il est parti à Duke University aux États-Unis où il a travaillé comme responsable du laboratoire d'électrophysiologie. Y ayant passé jours et nuits, il a réussi à développer une nouvelle technique révolutionnaire pour traiter la forme d'arythmie persistante la plus fréquente au monde. Elle touche plus de 10 % de la population supérieure à 80 ans. On lui donne le nom de «fibrillation auriculaire».
En 1992, à son retour des États-Unis, il a créé le laboratoire d'électrophysiologie à Québec (Institut Universitaire de Cardiologie et de Pneumologie de Québec).
Assoiffé par sa passion sans limite, Marcel GILBERT a développé une nouvelle option thérapeutique appelée «ablation par radiofréquence

Un vrai pionnier avant-gardiste!

Quand les guêpes se taisent

Stéphanie Pelletier

Les personnages de ce recueil ont en commun l'amour de la vie, où qu'elle se trouve – dans les êtres, la nature ou les animaux –, qu'elle commence, finisse ou recommence, qu'elle soit aussi légère qu'une journée de printemps ou le papotage de cousines à une noce, aussi sournoise qu'une lumière d'automne ou le bonheur au fond d'un lit. Stéphanie Pelletier écrit à partir d'images, de sons, d'odeurs, et tisse ses histoires à même ces instants dans lesquels toute une vie se condense, se reforme. Les personnages, enracinés dans leur corps, ici et maintenant, ne sont pourtant pas à l'abri des épreuves et des crises, mais ne se laissent jamais déporter trop longtemps ou très loin d'eux-mêmes.

Une fois qu'on a entendu cette voix que nous révèle Quand les guêpes se taisent, elle nous devient aussi nécessaire que tout ce qui nous tire vers la vie et lui donne un sens, «comme une drogue, nous convainc que nous resterons dans ce moment pour toujours».

Éditeur: Leméac Éditeur
WEB: www.lemeac.com lemeac@lemeac.com
ISBN: 978-2-7609-3352-1
Prix: 17,95 $ (120 pages)

Degaz

Stéphanie Pelletier

Isabelle habite dans un rang derrière le village riverain où elle a grandi. Prise entre Pierre, son mari, Martin, son amour de jeunesse, et sa mère alcoolique, elle étouffe de plus en plus. La hante également l'histoire d'une grand-tante mystérieusement disparue dans les années 1970. Souvent, Isabelle a très envie de disparaître elle aussi pour échapper au cycle de violence et aux troublants dons de sorcellerie qui déterminent l'existence des femmes de sa famille. Mais ces liens étroits qui lui donnent une si forte pulsion de fuite sont aussi ceux qui la retiennent, tant il est vrai qu'il est difficile de démêler le bonheur des jours et le malheur d'une vie. Dans Dagaz, la vie et la mort, les êtres et la nature sont si intimement liés que les gestes et les paysages les plus familiers prennent une dimension épique.

Éditeur: Leméac Éditeur
WEB: www.lemeac.com lemeac@lemeac.com
ISBN: 978-2-7609-3385-9
Prix: 21,95 $ (176 pages)

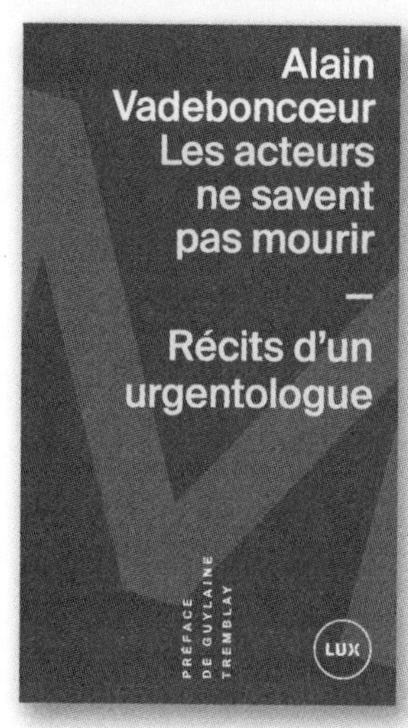

Les acteurs ne savent pas mourir
—
Récits d'un urgentologue

Livre de poche, 228 pages

La médecine d'urgence n'est pas un travail sans histoires, le docteur Alain Vadeboncœur en sait quelque chose. Exerçant ce métier depuis près de 25 ans, il a été le témoin de fins violentes, il a vu des personnes revenir de la mort, il a sauvé des vies in extrémis, il a été confronté à de coriaces malades imaginaires, mais surtout, il a accompagné la douleur de ceux qui perdaient un proche et la joie de ceux qui l'échappaient belle. Cette expérience lui donne une vision sensible et originale de la mort, indissociable de la vie, qu'il transmet ici dans ces récits d'urgence, mais aussi en racontant ses propres expériences, dont celle du décès de son père, l'écrivain Pierre Vadeboncœur. Expert autoproclamé de l'agonie, il nous révèle aussi une vérité jusqu'ici ignorée du grand public : même les meilleurs acteurs ne savent pas jouer la mort... sauf ceux qu'il a lui-même formés.

Alain Vadeboncœur

Auteur: Alain Vadeboncœur
Éditeur: LUX ÉDITEUR
ISBN: 978-2-89596-189-5
Prix: 24,95$

Diffusion/Distribution: FLAMMARION-QUÉBEC, © 2014
☛ www.luxediteur.com/content/les-acteurs-ne-savent-pas-mourir

Distribution SOMABEC Diffuseur & Distributeur, Québec

- Téléphone 1 - 800 - 361 - 8118 (sans frais)
- Télécopieur 1 - 450 - 774 - 3017
- Courriel ventes@somabec.com
- WEB www.somabec.com

Éditeur: Éditions D&F, Québec

- Courriel info@investimed.ch
- WEB www.investimed.ch

ISBN 13-978-3-905699-36-4